A Dieta
do Sim
Tudo o que você deve e pode comer
para ter saúde e ser feliz
CB007422

Bon Apetite

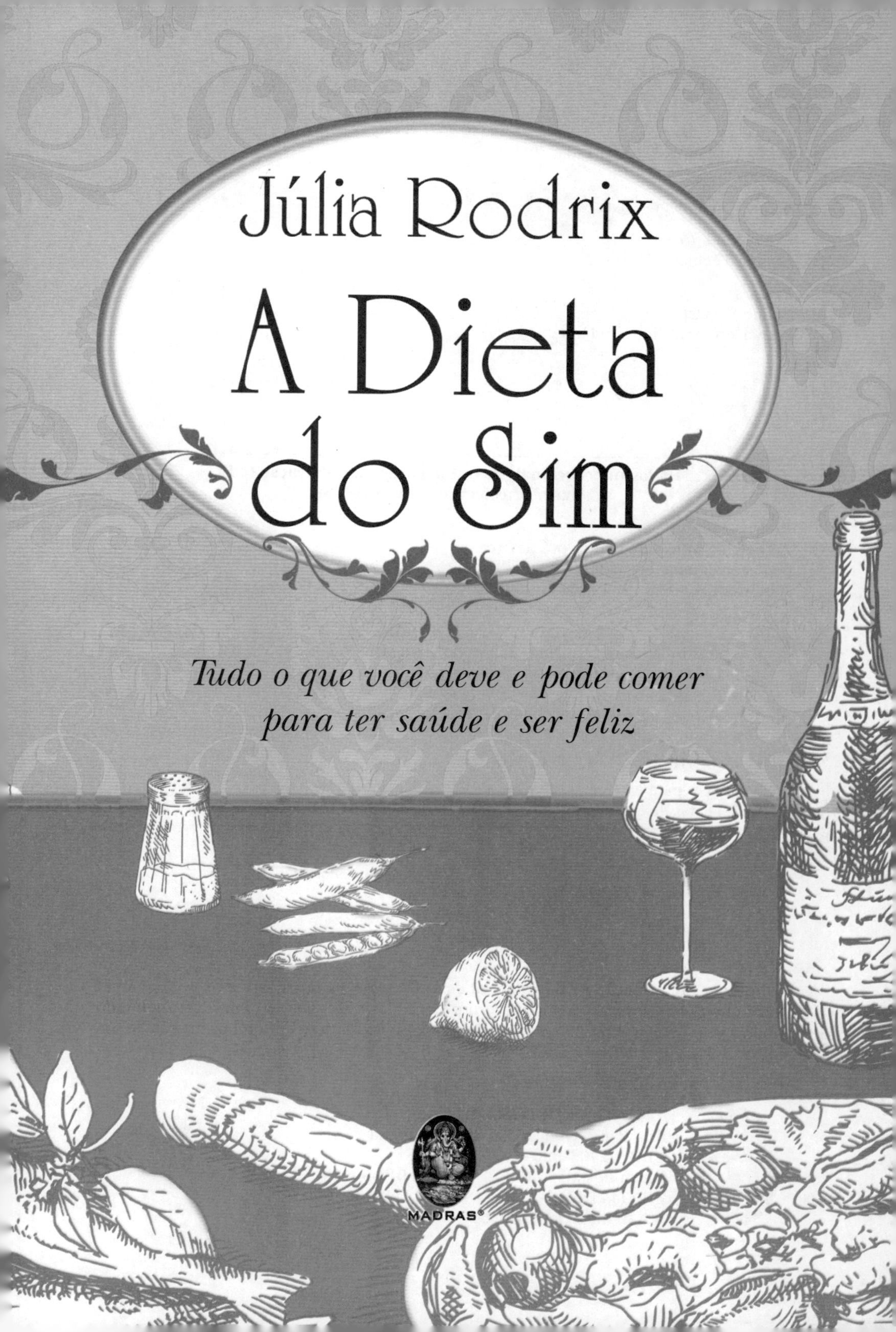
Júlia Rodrix
A Dieta do Sim
Tudo o que você deve e pode comer
para ter saúde e ser feliz
MADRAS®

Editor:
Wagner Veneziani Costa

Produção e Capa:
Equipe Técnica Madras

Revisão:
Arlete Genari
Francisco Jean Siqueira Diniz

Dados Internacionais de Catalogação na Publicação (CIP)
(Câmara Brasileira do Livro, SP, Brasil)

Rodrix, Júlia
A Dieta do Sim: tudo o que você deve e
pode comer para ter saúde e ser feliz/
Júlia Rodrix. – São Paulo: Madras, 2013.

ISBN 978-85-370-0865-2

1. Dietas de emagrecimento - Obras de divulgação
2. Dietas de emagrecimento – Receitas
3. Emagrecimento – Obras de divulgação
4. Hábitos alimentares – Obras de divulgação
I. Título.

13-06916 CDD-613.25

Índices para catálogo sistemático:
1. Dietas de emagrecimento : Promoção da saúde 613.25

MADRAS EDITORA LTDA.
Rua Paulo Gonçalves, 88 — Santana
CEP: 02403-020 — São Paulo/SP
Caixa Postal: 12183 — CEP: 02013-970
Tel.: (11) 2281-5555 — Fax: (11) 2959-3090
www.madras.com.br

Dedicatória

Dedico este livro à minha base de sustentação, meu marido, Zé Rodrix (in memoriam), e a meus filhos, Antonio e Barbara.

Índice

Onde Tudo Começou

A ideia deste livro teve início em um sábado à noite, com marido e filhos pequenos em casa, e uma crise de enxaqueca fulminante. Digo fulminante porque naquela hora tudo o que eu queria era morrer, para deixar de sentir a dor e a vergonha de mais uma vez ter de pedir para me levarem ao hospital.

Eu já havia ido ao hospital com uma crise forte de enxaqueca na terça-feira anterior, onde tinham me entupido de medicamentos fortíssimos, e no sábado seguinte, lá estava eu pedindo pelo amor de Deus que alguém me levasse correndo ao hospital mais próximo. Isto me causava grande vergonha, pois parecia que eu não fazia outra coisa a não ser sentir dor de cabeça.

Chegando ao hospital, a mesma rotina e o mesmo desconforto: os prontos-socorros não mantêm um prontuário de passagem dos doentes e portanto o médico, apesar de me reconhecer e até saber meu nome, iria me dar uma medicação inicial, que já sabíamos que não iria funcionar. Constatado esse fato, iria aplicar uma segunda medicação, mais forte, que funcionaria mais ou menos e, depois, uma terceira medicação em dose reduzida. Esta sim iria funcionar, mas não pode nunca ser dada no início, segundo as normas do hospital, que também não permitia a aplicação da dose total, já que eu estava impregnada de outros medicamentos. Naquele sofrimento e me sentindo muito mal, voltei para casa ainda com um pouco de dor, mas com muita vergonha de admitir essa dor.

Claro que dormi profundamente e acordei com uma ressaca daquelas. Passei um domingo terrível, com intestino preso, dor no fígado, boca amarga, dificuldade para urinar, tudo isso decorrente das altas doses de medicamentos que havia recebido. Mesmo não sendo a primeira nem a última vez que iria ao hospital me envenenar, não me conformava com aquelas sensações, por isso tomei minha primeira e mais importante decisão: **não iria mais sofrer daquele jeito, não iria mais deixar que me envenenassem aos poucos**.

Segunda-feira, pela manhã, acordei ainda me sentindo estranha, mas (graças a Deus!) sem dor, e saí para dar uma volta na praça aqui em frente de casa, para pensar um pouco. Sempre fui adepta das ervas, sempre procurei me informar sobre tudo o que era natural, mas pouco fazia para unir o meu conhecimento e a minha saúde, porque todas as coisas que eu lia sobre o assunto saúde eram muito complicadas, exigindo quase que uma revolução na minha cozinha e na minha vida. Meu avô dizia que "a cobra venenosa sempre se enrola no pé da planta que é o antídoto para o seu veneno", e eu achei que o caminho para a minha saúde estava muito próximo, provavelmente no combustível com o qual eu alimentava meu corpo.

Como não tinha informações suficientes para começar imediatamente um tratamento natural, resolvi que primeiro iria me desintoxicar. Tirei do meu cardápio tudo o que um dia tinha ouvido dizer que não era muito saudável: açúcar branco, farinha de trigo refinada, arroz branco, enlatados, gaseificados (refrigerantes), ensacados e empacotados, como leites e sucos longa vida.

Passei a semana toda comendo arroz integral, pão de centeio, frutas e legumes, e estudei. Peguei tudo o que tinha armazenado sobre comidas naturais, ervas medicinais, *chakras*, aromaterapia, cromoterapia, hidroterapia, fitoterapia, todas as "pias" de que tinha ouvido falar, mesmo que fosse o básico.

Acordava às 7 horas da manhã e me punha a ler, a pesquisar, a juntar coisas, de horóspoco chinês a influência dos planetas, e a falar com pessoas. Montei algumas fichas e comecei a perceber algumas coincidências nas diversas fontes e formas de tratar o ser humano. E, quanto mais me aprofundava, mais interessantes ficavam minha pesquisa e minhas conclusões.

Resolvi então passar à prática, e fazer a experiência comigo mesma, para saber até que ponto iria funcionar. Claro que não tomei nenhuma atitude impensada ou que poderia pôr em risco minha já debilitada saúde. No final dessa semana de desintoxicação, passei a sentir alguns efeitos benéficos. Meu intestino aos poucos estava voltando a funcionar, o gosto da minha boca já não era tão terrível assim, e a cada dia me sentia mais disposta, bem diferente das outras vezes, em que voltava do hospital sempre mais gorda, mais inchada, com todas as enfermeiras jurando que o soro e aquele coquetel de morfinas sintéticas não tinham nenhuma influência no meu peso e no meu inchaço.

Entre as descobertas que fiz estava a noção de que meu corpo precisava ser alimentado, mas para isso era necessário prestar atenção nos alimentos que fariam bem a ele e a cada um dos meus órgãos. Só que quando eu tentava comer de tudo que me faria bem, as refeições se tornavam banquetes intermináveis, impossíveis de encarar. Tinha de ser por partes, como dizia Jack, o Estripador. Portanto, **para organizar isso, dividi meu corpo em sistemas**, começando pelo linfático, porque aquele inchaço generalizado me fazia mal. Fui pesquisar os alimentos e os chás que agiriam sobre a minha linfa, aquele líquido por onde correm os glóbulos brancos, que preenchem todos os espaços vazios e que, quando inflamam, produzem aquilo que chamamos de celulite.

Dessa maneira, acabei dividindo meu corpo em sete sistemas, um para cada dia da semana, de modo que cada um deles pudesse ter minha atenção, não dividida, por um bom período de tempo. Assim, num dia cuidaria do linfático, no outro do coronário, no seguinte do digestivo, e assim sucessivamente.

No fim da primeira semana de cuidados, comecei a perceber muitas melhoras: meu paladar estava afinado, não acordava mais com dor nas articulações, o inchaço estava indo embora e, o melhor de tudo, estava me sentindo ótima e sem dor de cabeça.

Comecei a gostar daquilo. Como estava aberta a todas as informações possíveis, pedi a todos os amigos que me falassem de receitas, dietas ou alguma coisa que tivessem experimentado, e que de algum modo os houvessem ajudado na busca de uma melhor qualidade de vida.

Leda Villela Fontana, uma querida e adorável amiga, disse que tinha encontrado no budismo uma forma de cuidar de si. Fui me informar sobre essa filosofia, estudá-la um pouco, e me deparei com o sistema budista das cores, além de perceber a importância de estar conectado com algo maior. Joy Rodrix (minha enteada), uma pessoa muito especial, me trouxe algumas informações sobre o Calendário Maia, e com essa pesquisa apareceram os planetas e sua influência em cada sistema de nosso organismo e em nossas vidas.

De descoberta em descoberta, fui pondo em prática o que era possível e deixando para depois o que dependia de grande aprofundamento. Eu não podia me tornar budista do dia para a noite, mas poderia me firmar em alguns preceitos já absorvidos e em minhas próprias memórias e experiências. **Foi aí que surgiu a ideia de colocar tudo isso no papel, montando um sistema alimentar específico que ficasse sempre à mão**, tanto para que eu consultasse quanto para servir de guia a quem fosse cozinhar.

Partindo da ideia de que **VOCÊ É O QUE VOCÊ COME**, uma frase dita e redita por minha avó paterna na sabedoria meio italiana e meio cabocla, parti para a ação.

Foi com essa Vó Rosa que começou o meu interesse pelas ervas. Eu sempre quisera entender como ela, ainda adolescente, se casou, teve 23 filhos e cuidou de todos. **Com ela aprendi que nada se desperdiça, e que não há nada melhor para promover uma cura do que um bom prato de comida, feita com um pouco de carinho, um tantinho de trabalho e muita magia**. Também ao longo de minha vida fui aprendendo que, mais do que o carinho dos chás feitos por minha avó, o que era grande mesmo era a sabedoria natural daquela mulher, que sempre tirava do jardim a cura para os pequenos males do dia a dia de seus pequenos. E olha que não foram poucos os problemas dos 23 filhos de minha avó, morando no interior de São Paulo, na cidade de Birigui, sem muita assistência médica na maior parte dos seus oitenta e tantos anos de vida.

Só sinto ter levado tanto tempo para redescobrir o que haviam me ensinado desde pequena. Mas a sabedoria do tempo é muito maior que a minha, e precisei de todos os ingredientes que a vida tinha de me dar, para ter muito o que juntar.

Quanto à ideia de escrever um livro sobre essas experiências, aconteceu meio por consequência e meio por obrigação. Lembram daquela minha amiga Leda? Pois é: tendo sido testemunha das minhas crises de enxaqueca, e vendo que eu estava indecisa, procurando um rumo, meio enclausurada nas minhas pesquisas, deu-me de presente de aniversário um mapa astral com a Lama Tsering, uma mulher dotada de grande capacidade de compreensão dos problemas alheios. Lá pelo meio da consulta, no segundo andar de um lindo templo budista, ela com seu pobre português, eu com meu inglês sofrível, íamos nos entendendo mal-e-mal, quando de repente ela me falou, sem que eu tivesse sequer tocado no assunto:

"Esta dor de cabeça que você sente é um canal aberto para o sofrimento do mundo. Enquanto você não colocar este seu conhecimento curativo a serviço de muitos, esta dor sempre voltará, para que você se lembre do que a humanidade sofre".

Aquilo foi um enigma: como é que eu, que vivia sentindo dores, poderia fazer alguma coisa ou ser responsável pela cura das dores alheias? Achei mais saudável deixar de lado essa informação, até que Ana Maria Santeiro, outra figurinha carimbada, ouvisse sobre as minhas descobertas e me incentivasse a escrever um livro com elas. Eu disse que iria tentar, mas que não saberia muito bem como escrever, porque detestava todos aqueles livros de dietas que dizem que você NÃO pode fazer isso e NÃO pode fazer aquilo, inventando a cada instante uma alimentação mais diferente, mais difícil de encontrar, dessas que põem sua casa, e principalmente sua cozinha, de pernas para o ar.

Aí entra meu marido, músico, cantor, escritor e sábio nas suas conclusões simples:

"Por que você vai escrever um livro como tantos outros? Nossa alimentação não é como as outras. Você fez com que toda a comida melhorasse, fez a nossa saúde ficar ótima sem nenhuma revolução e, o que é melhor, sem qualquer restrição. Escreva primeiro o que você fez por você e por nós, depois nós organizamos o que você pode fazer pelas pessoas".

Foi assim que resolvi escrever um livro de receitas, não de culinárias, mas de vida. Aqui não separo as sopas das tortas e dos doces. Separo os sistemas no nosso organismo e dou a eles atenção, carinho e uma comida muito boa, porque, com certeza, de dieta ninguém vive.

Em vez de fazer um livro que diz tudo o que você NÃO pode NEM comer NEM fazer, fiz um livro que mostra tudo o que você PODE, DEVE e VAI GOSTAR de FAZER e COMER. Não pretendo obrigar ninguém a mudar seus hábitos alimentares de forma radical, mas sim mostrar as delícias que podemos comer, indicando o benefício imediato que trará a cada um dos nossos órgãos, sistemas e humores.

É bom saber que a melhor farmácia do mundo está ali mesmo na sua cozinha, no seu quintal, naquele vasinho escondido ou naquela receita da avó guardada no fundo de alguma gaveta da memória.

Muita saúde e muitos prazeres para vocês!

Modo de Usar Este Livro

Aqui devo reunir uma explicação sobre minhas intenções ao escrever, e isto para mim é muito difícil, já que não pretendo guiar ninguém, nem criar mais um tipo de dieta. O que eu fiz foi usar a **lógica da aglutinação**: quando aquele monte de coisas perdidas e desorganizadas foram resumidas e somadas a tudo o que eu sabia e de que me lembrava, percebi que existia uma lógica no conhecimento que eu estava vendo. Só me restava organizar o que eu tinha encontrado de maneira sintética, simples, prática, adaptada à vida real de pessoas reais, com trabalho, casas, filhos, sem a aura de "Apoteose Mental" com que se costuma tratar esses assuntos.

Minha proposta é simplesmente lembrar que somos constituídos por vários sistemas, e que esses sistemas têm de ser cuidados, de maneira organizada e racional. Então, por que não cuidar de cada um deles por dia?

Somos sempre informados de que devemos comer alimentos diversos, de cores distintas, para assim atender às necessidades do nosso organismo, mas nem sempre lembramos essa regra básica, e vamos comendo sem pensar aquilo que está disponível, na maioria das vezes alegando falta de tempo para fazer coisas diferentes, pouca disposição de ir para a cozinha, ou paciência para mudar nosso sistema de compras na feira ou no supermercado.

Dedicando cada dia da semana a um sistema diferente do nosso corpo, estaremos alimentando todo um organismo que precisa de atenção e cuidados, o nosso. Com alimentos que já estão na despensa ou na geladeira, comendo coisas comuns, só que agrupadas de maneira diferente, podemos nos alimentar de forma saudável e completa.

Quando o conhecimento estava na minha frente, descobri que ele incluía informações dos mais diversos tipos, desde a puramente científico-mecanicista, isolando as partes sem atentar para o todo, à mais derramadamente "esotérica", aquela que a gente tem dificuldade de ouvir sem rir. Não importa: todo esse conhecimento serviu para organizar os sistemas e sua alimentação, das mais diversas maneiras, e cada um escolhe dentro dessas maneiras aquela que melhor lhe aprouver. Portanto:

Cada dia da semana será dedicado a um sistema, e cada um desses dias também tem um astro regente, uma cor, uma pedra, um perfume ou aroma, uma erva, além de alimentos específicos.

Fornecerei uma longa lista de alimentos para cada dia da semana e acredito que você tenha aí mesmo em casa a maioria desses alimentos, pois são encontrados no dia a dia. Você só terá de concentrar em cada dia da semana alimentos que ativem os sistemas, um de cada vez, seja o linfático, o coronário, o respiratório e assim por diante. Na verdade, como esses sistemas são integrados uns aos outros, qualquer esforço em direção ao equilíbrio de um deles se reflete em equilíbrio para todos os outros.

Não pretendo que sua decisão de cuidar de você como um todo seja desprovida de beleza e sabores. No final do livro darei receitas deliciosas, algumas requintadas, outras nem tanto, utilizando sempre os vegetais, as frutas, os temperos, óleos e cereais para cada dia da semana, tendo como único objetivo alimentar nossos órgãos, estimulando e limpando o organismo. E para provar cada um desses cardápios e tirar a imparcialidade do meu gosto pessoal, convidei gente das mais diversas profissões, gostos e hábitos alimentares para jantares de degustação: a opinião de cada um deles foi muito importante, e a sua também será, para você conhecer, avaliar, concordar ou discordar.

Quanto às cores de cada dia da semana ou as pedras correspondentes, etc., essas coisas que os excessivamente racionais chamam ofensivamente de "esoterismo", "magia", vale uma ressalva: não acredito na magia como algo vindo de não sei onde. Acredito, isso sim, na magia que podemos fazer conosco, na intenção mágica de um gesto, de uma escolha. Quando fazemos pequenos atos de escolha e decisão, optamos também por refletir sobre cada pequeno ou grande ato que tomamos, vivendo assim nossa vida de forma consciente, e não levados pela enxurrada de horários a serem cumpridos.

Eu acredito muito na nossa conexão com o Universo e na influência de cada um dos planetas em nossas vidas. E existem outras que, mesmo não sendo parte de minha crença, cumprem seu papel e funcionam no sentido do equilíbrio. Pensando nisso e nas coincidências que vi em várias linhas de conduta para tratamento e prevenção de doenças, agrupei essas informações de maneira mais racional, prática e coerente.

O livro ficou, portanto, organizado desta maneira, que me pareceu a mais prática:

A primeira parte traz informações gerais, coisas que devemos fazer todos os dias para que, ao se tornarem hábitos, ajudem naturalmente a cuidar do corpo como um todo.

Falarei de cada dia da semana, do sistema que cuidaremos, de sua influência no nosso humor e o que nos causa quando anda meio sem atenção: o importante é poder conhecer tudo que seja referente a cada um dos sete sistemas e da maneira de cuidar deles a cada dia.

Você terá ainda, acompanhando cada dia, uma lista de alimentos, chás e sucos de frutas que podem ajudar na sua opção por uma vida mais saudável. A lista é sempre bem grande para você ter escolha, não ter que sair correndo para comprar coisas diferentes às quais não está acostumada, o que praticamente a obrigaria a abandonar este projeto alimentar no segundo dia de tentativa, não é? Como eu já disse antes, minha proposta é reorganizar e recombinar os alimentos para que nenhum órgão seja esquecido, e você possa conquistar o equilíbrio que resulta em saúde. Com o tempo você irá se acostumando e decorando esta lista de acordo com sua preferência, indo ao supermercado ou à feira-livre com um cardápio quase pronto na cabeça.

Ao final de cada dia da semana, reunirei uma série de dietas para quem tem problemas específicos. Por exemplo: no dia dedicado ao sistema cardíaco, você terá uma série de receitas que fazem bem ao sistema, e ao final uma dieta específica para quem tem problemas de circulação, pressão alta, colesterol elevado. Essas receitas ajudam no controle dessas enfermidades, ativando o funcionamento dos órgãos responsáveis, **não substituindo de forma alguma o acompanhamento médico ou o uso de remédios.**

A segunda parte traz as receitas e os cardápios dos almoços e jantares, sendo que elas foram elaboradas e testadas por amigos muito queridos, também se organiza em dias da semana, para facilitar sua busca por opções.

Aqui cabe uma observação com relação às carnes propostas em algumas dessas receitas: sei que muita gente, como eu, fez a opção de não comer carnes, sejam as vermelhas ou as de qualquer outro ser vivo. Acho uma opção bastante válida, desde que seja por motivos reais e não por modismos sem fundamento verdadeiro dentro de você. Portanto, se você for uma pessoa que optou por não comer carnes, não coma. Mas se quiser comer, encontrará aqui receitas muito boas utilizando carnes, apresentadas sem nenhum preconceito, e tão saborosas e curativas quanto quaisquer outras.

Será que até agora eu disse mais o que NÃO VOU fazer do que o que VOU fazer? Não tem problema, vamos em frente.

Outras explicações ficam lá pelo meio do livro, e a maior parte delas são descobertas que você mesma vai fazer. Minha intenção foi apenas reunir o conhecimento, que tive a oportunidade de receber das mais diversas formas e fontes, e apresentá-lo aqui como uma maneira de manter na lembrança de cada um esse processo de cura feito a partir do que nos é mais familiar: a comida, a bebida, os ingredientes da Natureza, os chás e as ervas, esta coisa tão primitiva e tão brasileira, resultante da mistura de tantas raças e crenças, que por tudo isso tornou o brasileiro um ser ímpar, especial.

Cuidados Diários

Estas são algumas coisas que faço todos os dias, e que gostaria de dividir com você.

Espreguiçar-se muito: Esticar o corpo todo, nada de levantar de um pulo, com pressa. Os minutos que você irá usar para se espreguiçar você ganhará em energia, disposição e bem-estar. Então vamos lá.

Comece pelos dedos do pé, faça o pé de bailarina, aquela ponta maravilhosa: depois retese os músculos da perna, a famosa panturrilha. Se você gosta de usar saltos altos, dê especial atenção à panturrilha: estique e dobre o pé diversas vezes para que o músculo tenha movimento e não fique atrofiado.

Para os glúteos, ou bumbum (como preferir): contraia e relaxe os músculos das nádegas junto com os músculos das coxas. Faça diversas vezes até se sentir verdadeiramente acordada.

Aproveitando que você já está aí por perto, experimente contrair e relaxar os músculos do períneo, aqueles que controlam o fluxo da urina. Esses músculos bem exercitados garantem maior prazer nas relações sexuais, menos problemas urinários decorrentes de enfraquecimento dessa musculatura e ajudam a manter aquela barriguinha no lugar. Portanto, ao exercitar essa região tão importante conseguimos unir prazer ao prazer.

Atenção à barriga: Essa musculatura é essencial para nossa respiração: uma respiração completa, que esvazia nosso pulmão das toxinas e do gás poluído, é um trabalho de todo o tórax, incluindo a barriga. Encha o peito, depois que os pulmões se encherem a barriga se enche, e depois você usa os músculos da barriga para espremer o ar para fora dos pulmões. Experimente respirar assim, primeiro deitada, depois sentada, e toda vez que se lembrar da respiração, treine-a. Quando você menos perceber, estará respirando plenamente e se livrando de um monte de porcarias acumuladas, oxigenando o sangue e todos os lugares por onde o sangue passa.

Atenção aos ombros: Levante os ombros até quase encontrar as orelhas e solte de uma só vez. Faça pelo menos cinco vezes para espantar as contrações de tensão. Depois tente juntar os ombros nas costas, contraindo e relaxando a musculatura, inverta e tente unir os ombros na frente do corpo. Se sentir um repuxo, não force, respire, relaxe e preste atenção, pois aí existe um ponto de tensão quase que universal decorrente das posturas tortas que acabamos adotando em frente a televisão, da mesa de trabalho, do computador, e todos os demais lugares por onde estacionamos mais da metade de nossas vidas.

Atenção ao pescoço: você vai girar seu pescoço de um lado para o outro, enquanto o rosto executa uma série de caretas, que fazem bem, tanto para os músculos que ficam por baixo da pele quanto para sua alma. Pense comigo: em vez de fazer caretas para as pessoas que te chateiam durante o dia, ficando cheia de tensão, faça todas as caretas do dia de uma vez só, pela manhã, e as envie telepaticamente para essas mesmas pessoas, enquanto exercita seu rosto. Afinal, as rugas sempre vão ficar em quem não sorri e não está de bem consigo mesma.

O Banho

Essa é uma daquelas coisas que, como tem de ser feita todos os dias, acabamos fazendo mecanicamente. Tomamos banho sem dar importância ao ato mais íntimo de nossa vida, esse que temos com nós mesmos, em companhia da água.

Entre no chuveiro, mesmo se estiver com pressa, mas não tome apenas um simples banho: fique durante algum tempo lavando sua vida, seu corpo, sua alma. Deixe que escorram pelo ralo os seus desagrados, a sujeira que infecta seu fígado, as amolações que lhe deram rugas e cabelos brancos.

Quando estamos com raiva de alguém, essa raiva nasce e cresce dentro da gente, e vai criando raízes profundas em nosso organismo. Deixe que a água lave esses sentimentos. Com certeza não é da primeira vez que isso vai acontecer, mas com a prática constante o seu banho pode se tornar uma terapia pessoal muito efetiva e agradável.

O Creme

Quantas vezes olhamos nosso braço ou nosso joelho, dentro do metrô, no escritório, e vemos que está esbranquiçado, escamando, e pensamos: "devia ter passado um cremezinho", e imediatamente nos lembramos de quanto tempo faz que não nos dedicamos a nós mesmos.

Aí surge aquela sensação, aquela certeza muito íntima de que estamos nos abandonando, e é um abandono muito dolorido, porque foi por nós mesmos.

O ato de passar um creme não é só uma vaidade sem fundamento, é um ato de profundo carinho, um ato de constatação do nosso espaço no mundo, um ato de reconhecimento do nosso corpo físico.

Quando colocamos aquela porção de creme nas mãos e delicadamente a espalhamos pelo nosso corpo, começando nos pés, calcanhares, subindo pelos joelhos e coxas, alisando nosso bumbum, espalhando pela região dos rins, barriga, seios, braços e cotovelos, obtemos a constatação da nossa existência. Como um cego que precisa do tato para saber conhecer o outro, necessitamos do tato para nos reconhecer, já que não nos vemos. A noção que temos de nós é só através dos olhos do outro: por isso nos importamos muito mais com o que pensam de nós do que com o que pensamos de nós mesmos.

O creme é uma boa desculpa para uma dose de carinho que sempre achei que merecia pela manhã, quando saio do banho, com cheiro de sabonete. Observo meu humor, escolho a essência, misturo ao creme e me dedico à pessoa mais importante do mundo naquele momento – eu mesma.

Esta é a receita do creme que você deve passar em todo o corpo:

Primeiro ingrediente: Vá ao dermatologista e peça a ele um creme hidratante sem perfume que seja adequado à sua pele;

Segundo ingrediente: Compre alguns óleos essenciais, depois de ver qual você prefere entre os óleos indicados para cada dia da semana;

Modo de Preparo: Na hora de usar, você deve pegar creme em quantidade suficiente para passar por todo seu corpo. Coloque o que couber na palma de sua mão e adicione umas poucas gotas dos óleos essenciais. **Assim, com apenas um creme básico, você terá pelo menos sete cremes diferentes para usar na ampliação do seu bem-estar.**

Espalhe pelo seu corpo. Começe pelos pés e meio dos dedos, suba pelas pernas e coxas, fazendo aí uma pequema massagem. No abdômem faça movimentos circulares em sentido horário. Depois vá para o bumbum e costas. Às vezes, por estarmos meio enferrujados, não conseguimos alcançar toda a área, mas tente; você estará fazendo um alongamento e ampliando os movimentos de seu corpo cada vez mais.

Quando voltar para passar o creme no peito, dê especial atenção para a área entre os seios. Aqui ficam armazenadas as angústias, os sentimentos e os ressentimentos. Massageie bem; se doer, não dê muita importância, massageie assim mesmo, para dissolver os nós que nós mesmos damos em nossas vidas e que costumam se acumular nessa região. Não se esqueça de verificar se passou creme nos cotovelos e nos joelhos, para que eles não fiquem com aquela aparência ressecada e áspera.

Lembre-se de, nos dias indicados, aproveitar esse creme e o tempo para fazer o autoexame dos seios. Prevenir é sempre melhor em tudo na vida.

Agora vamos à nuca. Esse grande escudo de nossas preocupações, tristezas e sobrecargas. Massageie delicadamente as vértebras, a musculatura desde o queixo até a raiz dos cabelos; com as duas mãos aperte, acaricie e faça também alguns movimentos mais vigorosos. Mas nessa região todo cuidado é pouco. Essa coisa de estalar pescoço, torcer ou empregar qualquer método para aliviar tensões deve ser aplicado só quando muito necessário e por um especialista de verdade. As vértebras, tendões e músculos dessa região são delicados e merecem carinhos, não puxões.

Os braços merecem um carinho especial, pois deles é que dependem nossos movimentos, desde carregar a bolsa até passar o dia digitando, escrevendo ou exercendo qualquer função. E, sendo para eles que olhamos sempre, devemos tê-los relaxados e sem aquelas horríveis peles ressecadas e descamadas. Dê maior atenção ao cotovelo, que vive se atritando com a mesa, e com tudo que puder encostar.

As mãos, como já receberam todo o creme de que precisavam passeando pelo nosso adorado corpo, já estão alimentadas e cumpriram sua função principal que é de fazer carinho. Tudo o mais que você pode fazer por elas é olhá-las e agradecer por serem tão perfeito instrumento.

Lembre-se, **esses cuidados devem ser tomados todos os dias.**

Outra coisa importante: tome sempre em jejum um copo de água, fresca. Não gosta? Mas vai gostar, depois que eu disser por quê. Os nossos neurônios funcionam mandando impulsos elétricos uns aos outros. Você sabe que a água é um ótimo condutor de energia, portanto, água em jejum faz com que seu cérebro fique acordado, atento e funcionando cem por cento. Água nele, senão você corre o risco de ficar o dia inteiro sacudindo os cabelos de cá para lá, esperando que seu cérebro pegue no tranco.

Tudo certo? Então, vamos aos **dias da semana** e a seus **sistemas correspondentes**.

Frutas

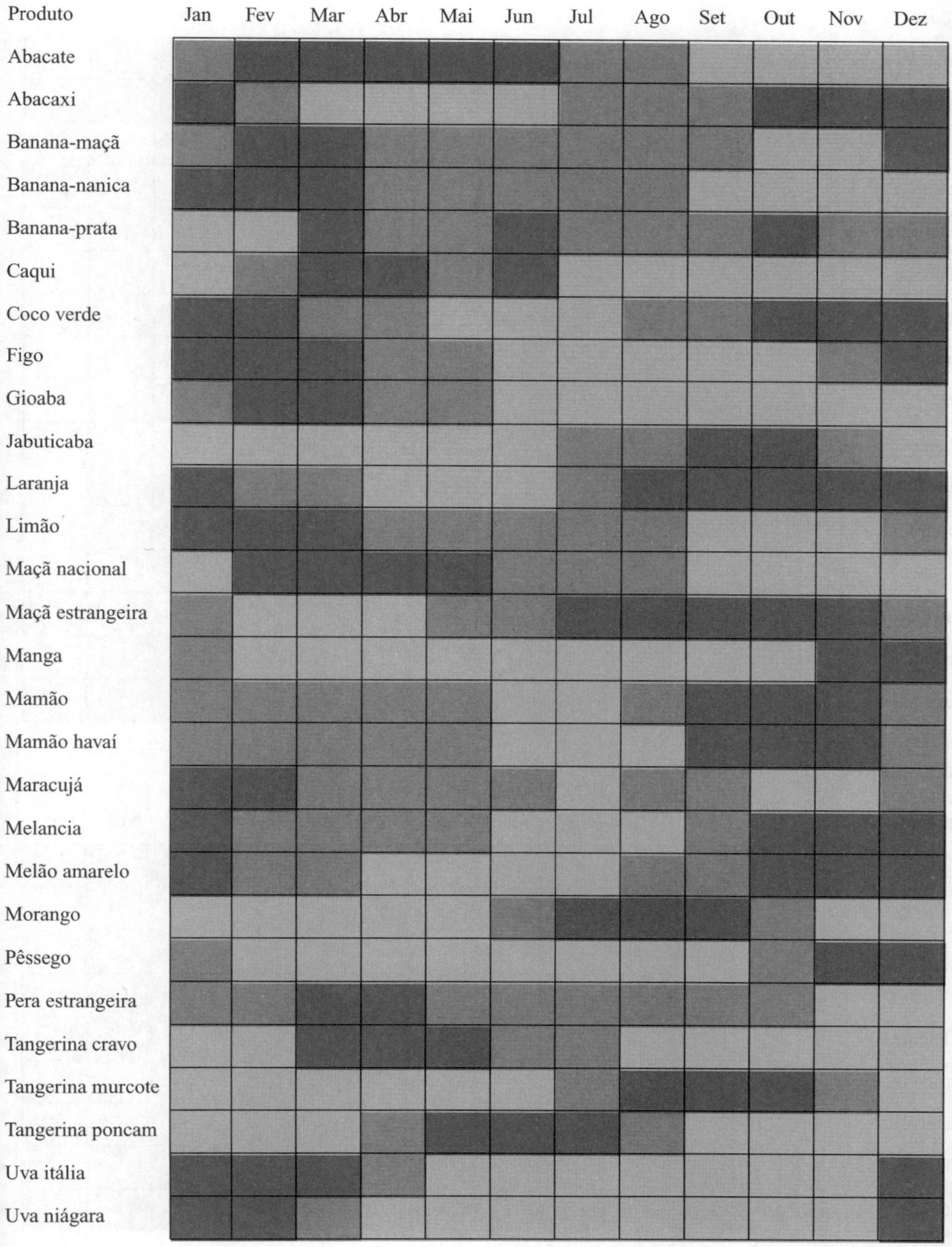

Produto	Jan	Fev	Mar	Abr	Mai	Jun	Jul	Ago	Set	Out	Nov	Dez
Abacate												
Abacaxi												
Banana-maçã												
Banana-nanica												
Banana-prata												
Caqui												
Coco verde												
Figo												
Gioaba												
Jabuticaba												
Laranja												
Limão												
Maçã nacional												
Maçã estrangeira												
Manga												
Mamão												
Mamão havaí												
Maracujá												
Melancia												
Melão amarelo												
Morango												
Pêssego												
Pera estrangeira												
Tangerina cravo												
Tangerina murcote												
Tangerina poncam												
Uva itália												
Uva niágara												

Legumes

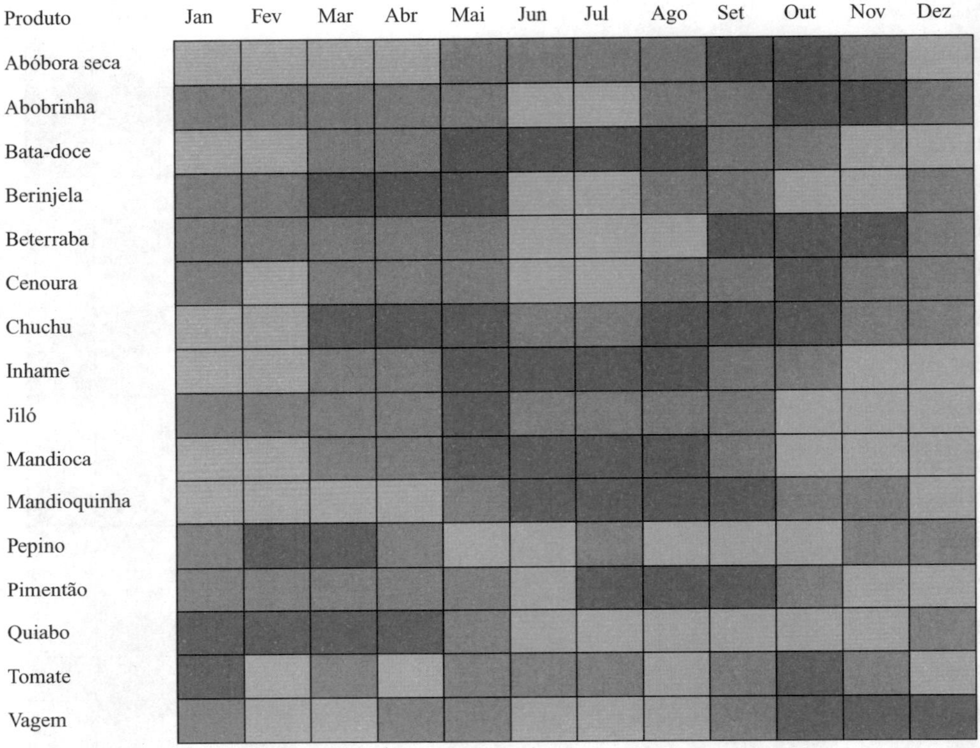

Produto	Jan	Fev	Mar	Abr	Mai	Jun	Jul	Ago	Set	Out	Nov	Dez
Abóbora seca												
Abobrinha												
Bata-doce												
Berinjela												
Beterraba												
Cenoura												
Chuchu												
Inhame												
Jiló												
Mandioca												
Mandioquinha												
Pepino												
Pimentão												
Quiabo												
Tomate												
Vagem												

Verduras

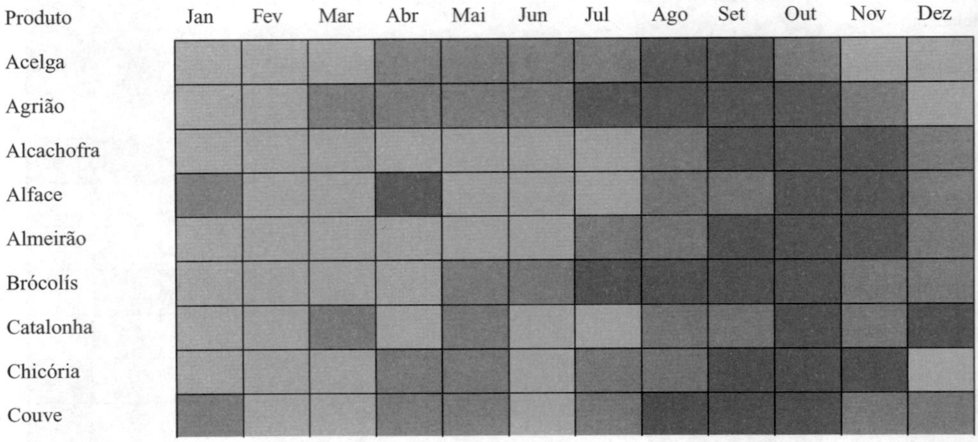

Produto	Jan	Fev	Mar	Abr	Mai	Jun	Jul	Ago	Set	Out	Nov	Dez
Acelga												
Agrião												
Alcachofra												
Alface												
Almeirão												
Brócolís												
Catalonha												
Chicória												
Couve												

Produto	Jan	Fev	Mar	Abr	Mai	Jun	Jul	Ago	Set	Out	Nov	Dez
Couve-flor	fora de estação	fora de estação	fora de estação	bom	bom	bom	ótimo	ótimo	ótimo	ótimo	bom	bom
Escarola	bom	fora de estação	fora de estação	bom	bom	fora de estação	ótimo	ótimo	ótimo	bom	fora de estação	fora de estação
Espinafre	fora de estação	fora de estação	fora de estação	bom	bom	bom	bom	ótimo	ótimo	ótimo	ótimo	bom
Milho verde	ótimo	ótimo	ótimo	bom	bom	fora de estação	fora de estação	fora de estação	fora de estação	fora de estação	bom	ótimo
Palmito	ótimo	ótimo	fora de estação	fora de estação	bom	ótimo	ótimo	bom	bom	ótimo	bom	bom
Rabanete	fora de estação	fora de estação	bom	bom	bom	bom	bom	bom	ótimo	ótimo	ótimo	bom
Repolho	fora de estação	fora de estação	bom	bom	bom	bom	bom	bom	ótimo	ótimo	ótimo	bom
Rúcula	fora de estação	fora de estação	bom	bom	fora de estação	fora de estação	ótimo	ótimo	bom	ótimo	fora de estação	fora de estação
Salsão	bom	fora de estação	fora de estação	fora de estação	fora de estação	fora de estação	bom	bom	bom	ótimo	ótimo	ótimo

Produtos diversos

Produto	Jan	Fev	Mar	Abr	Mai	Jun	Jul	Ago	Set	Out	Nov	Dez
Alho nacional	ótimo	ótimo	ótimo	bom	ótimo	fora de estação	fora de estação	fora de estação	fora de estação	fora de estação	bom	ótimo
Batata	ótimo	bom	bom	fora de estação	fora de estação	bom	fora de estação	fora de estação	fora de estação	bom	bom	ótimo
Cebola	ótimo	fora de estação	ótimo	bom	bom	fora de estação	bom	bom	bom	ótimo	bom	fora de estação
Ovos	ótimo	fora de estação	ótimo	ótimo	bom	fora de estação	bom	bom	fora de estação	ótimo	fora de estação	bom

ótimo

bom

fora de estação

Fonte: Livro *As Quatro Estações da Alimentação*
Secretaria de Agricultura e Abastecimento
Governo do Estado de São Paulo
Gestão Mário Covas

DOMINGO

Sunday: – (Sonn+Daëg) dia do Sol

Idade: juventude (quando temos a energia do Sol e o seu brilho)

Cor: amarelo

Perfume: eucalipto, cipreste, hortelã

Pedras: cristal de rocha, diamante, topázio, pedra do sol, olho de tigre

Ervas: hortelã, cedro, zimbro, eucalipto, cânfora, laranja, bergamota, cipreste

Metal: ouro

Sistema: nervoso

Benefícios: eliminar o estresse, centrar o espírito

Apesar da maneira como temos sido ensinados, e do jeito como temos vivido no Brasil, a semana começa verdadeiramente no domingo: ou você acha que é por mero acaso que o dia que vem depois do domingo se chama segunda-feira, em Português? O domingo não é o último, mas sim o **primeiro dia da semana**, porque foi em um domingo que o universo começou a ser criado, e só no sétimo dia, o sábado, do hebraico *shabbat*, dia de descanso, é que o Criador descansou.

Além do mais, nós todos temos o **vício** de iniciar nas **segundas-feiras** todas as **dietas, tratamentos, decisões** e **mudanças** de nossas vidas, apenas para **abandoná-los** tão logo a **terça-feira** se inicie. Por isso, e até para **mudar** esse **ciclo** de **começa-e-abandona-em-vinte-e-quatro-horas**, do qual nunca conseguimos nos livrar, vamos começar a **cuidar** de nós mesmas no **domingo**, aproveitando as horas de **lazer** para iniciar os **cuidados** com **nosso corpo**, **limpando** todos os **canais** pelos quais a **energia** da **Vida** passa por dentro de nós.

Como domingo é o dia do sistema nervoso, dia do pensar, dia do começo das coisas, vamos tomar a decisão de cuidar de nós mesmos de forma racional.

O nosso **sistema nervoso** é alimentado por **fósforo**, **sílica**, vitaminas do **complexo B** e **proteínas**, e não por **estresse**, **horários** apertados e **angústias**.

Quando damos ao nosso **organismo** somente **preocupações**, **pressa** e **ansiedade**, estamos **alimentando** as **doenças** do sistema nervoso e não a **saúde** daquilo que nos mantém **vivos, ativos, pensantes** e **funcionais**. O **desequilíbrio** acontece porque esquecemos que esse sistema é um dos maiores do nosso organismo e tem **raízes profundas** em todos os **outros sistemas** e, principalmente, em nosso **espírito**.

Aqui vai uma **opinião muito pessoal,** com **fundamento** em todas as **religiões, dietas, crenças**. Se a pessoa **não crê** em nada, em nenhuma religião, em nenhuma entidade, em nenhuma **força superior**, sua **ansiedade** não tem onde se apoiar nem por onde se extravasar. Aí começa a **entupir** todo o **sistema nervoso** com "Ses", "Talvezes", "Quem-sabes".

Os **dutos** e **canais** de todo o **sistema nervoso** têm um **trânsito** próprio, onde os **comandos** e **reações** aos comandos trafegam numa rua de **mão-dupla**. Os comandos vão por uma pista e o resultado de nossas ações vem por outra. Quando colocamos **expectativas** demais em cada uma das nossas **ações**, os **comandos** viram vagões **supercarregados** e os **resultados** dessas mesmas ações **demoram** a chegar, causando-nos cada vez **mais ansiedade**, colocando cada vez **mais expectativas**, e aí o trânsito fica como o da Marginal Tietê em dia de chuva. **Para. Trava. Engarrafa.**

Conseguimos assim ter, **em vez de discernimento**, a garantia de **síndromes** das mais variadas espécies, até chegarmos a um **colapso** total. E aí se instalam em nós a **depressão, o pânico, a taquicardia, o desequilíbrio mental e físico.**

Nesse dia de domingo, regido pelo **Sol**, um dia **masculino** por excelência, vamos tentar **escutar nossa alma, limpar nossas vias**, abrir caminho para novas soluções, novos pontos de vista. Vamos também fazer a **conexão entre a matéria e o espírito.**

Quando falo de **conexão** com nosso lado **espiritual**, parto da premissa de que ninguém está equilibrado sem que tenha tanto a **matéria** quanto o **espírito** em **comunhão** um com o outro. Não que você precise sair por aí como o mais novo discípulo de religiões da moda. **Isto não é equilíbrio, é desequilíbrio Emocional.**

A **fé** só é **válida** se chegamos a ela por meio do **livre-arbítrio**, um dom que nos foi dado pelo nosso Criador, tenha esse Criador o nome que tiver, de Buda a Krishna, a Allah, a Deus, a Jeová, não importa. Só com o **raciocínio** correto, pelas **vias do conhecimento** e pela **convicção estrita**, é que podemos chegar à **fé real**. E a fé real não é essa coisa que faz com que certas pessoas abandonem a família, os bens, os amigos. É, isto sim, uma **fé em algo maior do que nós, e que nos possibilite viver em comunhão com a Natureza, com nossa família, com o trabalho que escolhemos**. Uma **fé nascida de nossas certezas**, que nos dê apoio e seja **um pilar para sustentar** nossas **dúvidas**, nossos **medos** e, principalmente, que esteja sempre pronta a **acalentar** nossos **desejos, abrandando** nossa **ansiedade.**

Minha **fé** não aceita muito bem os **atravessadores**, as pessoas que dizem falar em nome de Alguém, que se apresentam como **representantes de Deus**, qualquer deus. Sempre acreditei que sou **filha de Deus, perfeita**, feita à Sua imagem e semelhança. **Nunca precisei de interlocutores para falar com meu pai carnal, por que precisaria para falar com meu Pai espiritual, Aquele que sabe de mim, mais do que eu mesma?** Deposito em Seu colo minhas angústias e ansiedades, crendo que a ajuda virá no momento oportuno. Assim, posso cuidar de tudo aquilo de que preciso com menos ansiedade.

Separe **alguns minutos** no domingo para **meditar**, ou **acender uma vela**, ou vá a um parque e **agradeça**: agradeça por estar **vivo**, agradeça pelas **oportunidades** que a vida lhe apresenta, **agradeça por agradecer**, simplesmente, porque pedir num momento de necessidade é fácil, fazer promessas na hora do aperto é moleza, mas agradecer de graça, com o mais profundo da alma, deve ser a coisa mais difícil do mundo, porque sempre nos esquecemos de fazer isso. Agradeça **sem rituais**, sem grandes preparativos: **converse com Aquele em que você acredita como se estivesse conversando com você mesma**. Afinal, seu Deus está aí mesmo **dentro de você**, faz parte da sua **essência**, faz parte da sua **alma**.

Tudo agradecido? Então agora vamos cuidar da **matéria**, com **direito à preguiça** e tudo o mais. Começando pelo **café da manhã**.

Hoje é o dia que você pode se dar ao luxo de acordar mais tarde, tomar aquele banho demorado e começar o aprendizado de passar o creme por todo seu corpo como um carinho. Não se esqueça de acrescentar algumas gotas de eucalipto, cipreste ou hortelã, seu perfume fresco dá uma sensação maravilhosa de limpeza.

Deixe a água limpar sua vida, enxugue-se com delicadeza e passe o creme demoradamente, com muita atenção aos detalhes do seu corpo. Ah! Mas você está descontente com seu corpo, com as formas tomadas por ele como forma de protesto por estar assim tão esquecido? Não faz mal, faça então um inventário do que quer modificar, do que quer dele e com ele. Trace metas, visualize objetivos concretos e possíveis. Nada de querer perder 40 quilos em poucos meses, comece com alguns gramas e vá em frente.

Aprendi em vários cursos, que se queremos conseguir alguma coisa grande e importante, devemos viver de forma a conquistar pequenas vitórias diárias, semanais, para atingir grandes objetivos a curto, médio e longo prazos.

Aproveite esses momentos e inclua em suas metas desta semana perder alguns gramas, fazer automassagens para aliviar a celulite, ou finalmente marcar aquela limpeza de pele, ou a massagem relaxante que você está se prometendo a tanto tempo. Estipule metas e prazos conscientes.

Banho tomado, creme passado, vamos à escolha da roupa. Só porque é dia do amarelo, não precisa sair por aí vestida de quindim, mas um tom amarelo, pode ser até na calcinha, dá o tom de quem quer mais luz na sua vida. Um brinco, um colarzinho de ouro, e você está pronta para o dia do Sol, o dia do seu recomeço, o dia do seu reencontro consigo mesma.

Vamos à luta, suas armas comecam no café da manhã.

Café da Manhã:

Não esquecendo do copo de água para ativar os neurônios, podemos tomar um chá relaxante, como o de **melissa**, **capim-cidreira** adoçado com **mel**, um poderoso calmante. Por falar nisso, **uma colher de mel antes de dormir pode fazer mais efeito que muito calmante por aí**. Experimente.

Os **cereais integrais** são ricos em fósforo, vitamina B1 – nosso principal combustível. Faça a opção que mais lhe agrade entre **cevada**, **aveia**, **trigo**, **centeio**, e incremente com **frutas secas** e **nozes**. Ou então saia para andar, passe em algum lugar de sua confiança, compre um delicioso **pão de farinha integral**, que com **manteiga** e **mel** lhe dará a energia suficiente. Se abusou na farra de sábado, tome um **chá** reconstituinte de **maçã**, **girassol** ou **pariparoba**. Se tomar café muito tarde, dispense o **lanche da manhã**. Você só deve comer três horas após a última refeição, e mesmo assim exclusivamente se tiver fome.

Importante: uma coisa que desaprendemos é **diferenciar** a **fome** da **vontade de comer**. A **vontade de comer** pode estar querendo **mascarar** a **ansiedade**, a **angústia**, alguma **carência**. As idas e vindas à cozinha, os minutos parados em frente a gelageira com a porta aberta e aquela pergunta lá no fundo: O que será que eu como? Isto não é fome, é vontade de se ocupar, digerir situações e aplacar a carência. A **fome** não, ela é **orgânica**, se faz presente na sensação da **necessidade de repor energias**. Preste muita atenção ao seu organismo, ele é sabio, e lhe dá todas as dicas.

O **almoço**, se não for na **sua casa**, pode ser na **casa da mãe** ou num **restaurante**. Se for na casa da mãe, nem adianta dizer que está de dieta; portanto, não diga nada, para que ela não fique magoada. Elas adoram nos encher de **comida-de-mãe**, que é sempre **maravilhosa**, alimenta nosso corpo, a nossa alma infantil, a nossa memória, e para alimentar tudo isso, o **menu** de domingo costuma ser bem **variado**, portanto, faça suas **escolhas sem abusar** muito. Aproveite para se **preparar** com **equilíbrio** para a semana que vem por aí, e **revigore** seu **sistema nervoso** a partir do **carinho** para com você mesmo.

Da mesma forma que o **café da manhã** de domingo pode virar **almoço** (*brunch*), o **lanche da tarde** no domingo pode virar **jantar**, ou vice-versa. Se você não comeu pela manhã, pode comer agora o **pão de farinha integral**, com **manteiga** e **mel**, ou então um bom prato de **raízes cozidas**, como **mandioca**, **batata-doce**, **cenoura**, **beterraba**, uma sopa quentinha no inverno ou uma **salada** de **nabo**, **rabanete** e **folhas frescas no verão**. Tudo temperado com **gengibre**, **sal marinho** e **azeite de oliva**.

Essas **raízes** no jantar de domingo fazem com que você que se firme, que se apoie no chão para tomar **decisões baseadas no real**.

Se realmente quiser alguma **proteína animal**, fique com as **ostras**, que são um ótimo reconstituinte e muito leves.

Chega a hora de dormir para começar uma segunda-feira promissora. Antes de fechar os olhos, repense seu dia, refaça suas metas para que no domingo que vem, você possa avaliar o que conseguiu cumprir, o que deixou de fazer e fazer seu planejamento para as próximas semanas.

Vamos à lista de alimentos do seu domingo?

<u>Frutas</u>: maçã, damasco, ameixa, banana, carambola, figo seco, framboesa, amora, abacaxi, mamão, melancia, pêssego, morango, cereja são bons para depressão, para a saúde do sistema nervoso.

<u>Legumes e vegetais</u>: pepino, repolho, couve, alface, soja, ervilha, cenoura, beterraba, rabanete, nabo, raiz forte, batata-doce, batata-inglesa são ricos em vitamina B1, e as algas marinhas, agrião, alcachofra, aspargo, espinafre e tomate, ricos em iodo, que melhora o nível de inteligência.

<u>Cereais</u>: cevada, arroz integral, farelos de trigo, centeio de milho, de aveia, germen de trigo, lentilha cozida.

<u>Carnes</u>: ostras ou ovos frescos, se você não come ostras.

<u>Queijo</u>: coalhadas temperadas.

<u>Temperos</u>: gengibre, salsinha, hortelã, raiz forte, açafrão.

<u>Adoçantes</u>: Mel e açúcar mascavo.

<u>Bebidas</u>: sucos das frutas acima.

<u>Chás</u>: chás de maçã, sementes de girassol, pariparoba.

<u>Óleo</u>: de girassol e de oliva prensado a frio (extra-virgem).

SEGUNDA-FEIRA

Monday: (mon+doëg) dia da Lua
Idade: primeira infância (quando estamos aprendendo a nos mover fora da água placentária)
Cores: branca, prata, cinza, ou se preferir, as cores do luar
Pedras: pérolas, cristais, pedra da lua, coral branco
Essências: cítricos: limão, flor de laranjeira, bergamota ou mexerica, âmbar, lavanda ou mirra
Metal: prata
Sistema: linfático

Benefícios: reduzir celulite, inchaço, limpar e tonificar o baço e fazer circular o CHI – força positiva que está presente em tudo no mundo

Segunda-feira tem sempre sido o **dia do começo** de alguma coisa, principalmente aquela dieta nova. Como já começamos nossa dieta ontem, domingo, hoje só teremos de reafirmar nossa vontade e não nos deixar levar pela maré.

Pois nessa segunda-feira nós vamos **começar esquecendo** a **dieta interrompida** na terça-feira passada, a **fraca vontade** de recomeçar os exercícios, o **pouco empenho** em largar alguns vícios.

Quando comecei, a **primeira providência** que tomei na segunda-feira pela manhã, ao acordar, foi exatamente **não pensar no que havia deixado de fazer**, principalmente na **culpa** pela dieta esquecida. Fiz uma **coisa nova**: **ME PERDOEI**! Levantei com a **alma leve** de quem, no dia anterior, já tinha começado uma semana em que, com certeza, algumas coisas seriam realizadas, outras deixadas de lado, mas a vida seguiria seu curso para que eu fosse a grande beneficiada.

Como segunda-feira é um dia regido pela **LUA**, responsável pelas **marés** do mundo e pelo movimento das **águas internas** do nosso corpo, dediquei esse dia ao **Sistema Linfático**.

O **Sistema Linfático** é um conjunto de **canais** e **glândulas** pelos quais corre a **linfa**, um líquido claro parecido com o plasma sanguíneo, e que **preenche** todos os **espaços** vazios do interior de nosso **organismo**, principalmente entre os músculos. Para um **perfeito funcionamento** desse sistema, devemos **exercitar nossos músculos**, que pela **contração** e **relaxamento** fazem com que a **linfa percorra** todo o **organismo**. Quando isso **não acontece** como deve, a **linfa** se **acumula** em determinados locais do corpo, causando uma série de problemas.

Olheiras, acúmulo de líquidos nas coxas, inchaço matinal ou ao fim da tarde são alguns dos transtornos que a **linfa estagnada** promove. Costumo brincar muito com meus alunos dizendo que água parada só serve para causar dengue e celulite, duas coisas terríveis.

O **órgão responsável** pela produção da linfa é o **baço**, que limpa e filtra a linfa, produz anticorpos e ajuda na limpeza geral do sangue e das toxinas. **Quando o baço não vai muito bem das pernas, o primeiro sintoma é perdermos um pouco do sentido do paladar, não conseguindo mais distinguir os cinco sabores (doce, salgado, amargo, ácido e picante)**. Depois vem os outros, é claro: **edemas** nas pernas, **acúmulo de líquidos** nas coxas, que causam a **inflamação dos tecidos**, mais conhecida como **celulite**.

As pessoas que têm problemas linfáticos são aquelas que retêm líquidos. Sua gordura parece um inchaço, e têm as mãos redondas, com covinhas na parte de cima dos dedos, sendo muito propensas a ter celulite, pisando pesado e torto. Minha priminha Janice tinha verdadeira mania de comprar sapatos. Saía todo dia e voltava com um novíssimo e belíssimo par, às vezes vários, uns mais caros, outros mais baratos. O mais estranho era que seus sapatos nunca pareciam novos, eram sempre deformados, gastos. Seu pisar era sempre voltado para dentro, e isso obrigava seu quadril a fazer uma rotação, projetando a cabeça do fêmur para fora, dando-lhe belos culotes. Esses culotes tinham uma grande quantidade de celulite e eram de uma textura aquosa.

Anos depois, descobri que essa prima era do **tipo linfático**, uma classificação dada na **Eubiose** para pessoas que têm este **tipo físico, regido pela água.**

Cuidados diários

Sei que nem todo mundo tem vontade de fazer **exercícios**. Para aqueles como eu, que gostam, é bom saber que os **exercícios do tipo aeróbico,** como **caminhar**, **andar de bicicleta** ou **nadar,** são muito eficientes, já que **movimentam o corpo como um todo**. Eu caminho quase todos os dias. É nessa hora que ponho meus pensamentos em dia. Como não preciso pensar para colocar um pé na frente do outro, deixo a cabeça vagar, coloco tudo em dia, acerto minhas prioridades, tomo as decisões que preciso tomar. Foi assim que escrevi grande parte deste livro, andando e pensando. Para aqueles que são avessos a qualquer atividade física, vale uma dica: **espreguiçar-se. Muito. Principalmente logo depois de acordar.** O estilo de espreguiçamento que recomendei no início do livro serve para todos, principalmente para os mais sedentários. Se nem disso você gosta, **pelo menos estique-se, contraia** todos os músculos do corpo e **solte devagar**. Tente imaginar uma cobra que contrai seu corpo para poder digerir seu alimento, fazendo com que esse corpo tome a forma necessária para envolver o alimento totalmente: é assim que você deve fazer para movimentar a linfa em seu organismo. Caso possa, recorra a um **massagista** para fazer uma **drenagem linfática**, um pouco **dolorida** devo dizer, **mas eficiente**.

Bem, você já está **acordada** e com a **mente pronta** para **recomeçar**. Então vamos ao **banho**. Sim, aquele banho matinal, rápido, mas que pode dar energia para o dia todo.

Sempre se diz muitas coisas sobre a **temperatura** morna da água, não exagerar no **sabonete**, etc.; todo mundo sabe disso, nem vale a pena lembrar. Mas fazer do **banho** um momento para **alongar-se, esticar-se, acordar** o resto dos **músculos** que ainda estão relutantes em começar a funcionar é **fundamental**. Costumo deixar a água cair na nuca e penso fortemente que ela está limpando meu corpo e minha alma de tudo o que não quero para mim, tensões, medos, olho gordo, enfim, tudo que me atrapalha e não me interessa de jeito nenhum.

Chega a hora do **creme**, afinal todos temos de usar um creme **hidratante**. Especialmente eu que sou muito clara e costumo ter pele seca, uso hidratante **duas vezes** ao dia: pela **manhã** e à **noite**. Nessa hora prefira aquele **creme básico**, que já recomendei, sem fragância, e tenha sempre à mão aqueles **óleos essenciais, pelo menos um para cada dia da semana**. Um grande amigo dermatologista, o Dr. Marcelo Menta, sempre me pergunta se prefiro gastar rios de dinheiro comprando esse ou aquele creme famoso ou se prefiro a eficiência e o preço em conta de uma fórmula simples que funciona para manter minha pele hidratada com **creme hidrófilo** e **ureia**. Pergunte ao seu médico dermatologista a melhor maneira de ter um **creme básico** feito **especialmente para você**.

Escolha para sua segunda-feira **óleos essenciais cítricos. Grapefruit, limão, flor de laranjeira**, umas gotas de **óleo de rosa branca** também irão ajudar **aliviando o estresse, limpando o astral** e **rejuvenescendo a energia. Lembre-se de não exagerar**: apenas **algumas gotas** de óleo essencial são mais que suficientes para misturar ao seu creme básico.

Depois do banho e do creme me sinto como nova, pronta para colocar a **roupa** e sair por aí. Como hoje é **segunda-feira**, as **cores** que devem predominar são as cores **claras**, as **cores da Lua**; portanto **branco, prateado** ou **cinza** irão colocar você em sintonia com o Universo. Não precisa sair vestida de médico ou enfermeira, viu? Basta um detalhe, colocado propositalmente. O fato de você escolher uma peça branca, uma bijouteria com intenção de homenagear o **Dia da Lua**, já fará você se sentir em comunhão.

Lembre-se de que a magia está em você, e que sua intenção já é um grande passo para tornar seu dia especial.

Segunda-feira, dia da Lua, podemos também entrar em sintonia com ela ao usar uma **pérola**, um **cristal**, um **coral branco** ou a própria **pedra da lua**, aquela meio branca meio azulada, com cara de luar na praia. Qualquer pedra dessas numa pequena **corrente de prata** serão os amuletos perfeitos para você começar a semana de bem com a vida.

Sempre gostei de enfeites: bijouterias, joias, qualquer coisa que tenha colorido. Minha gaveta sempre estava cheia de coisas, e eu usava sempre as mesmas. Hoje separei todas as bijouterias por cores e assim cada dia da semana uso uma cor e acabo variando, pois a escolha fica mais fácil.

Uma história curiosa sobre a **pérola**: na Antiguidade alguns sábios diziam que a pérola era uma **gota de chuva** engolida pela **ostra distraída**, enquanto outros afirmavam ser uma **gota de Lua** que descia do céu **para cada sorriso** de uma **mulher feliz**. A pérola é uma pedra **feminina** por excelência, muito **usada para atrair amor e bons casamentos.**

Café da Manhã

Começe sempre com um bom copo de água.

Sucos que ajudam você a eliminar o líquido retido são o de **melancia**, de **melão** ou **lima-da-pérsia**

Uma fruta, que pode ser **pera** ou **pêssego**, ambos ajudam na eliminação de toxinas e são diuréticos.

Queijo, só se for tofu.

Nada de leite! Escolha entre **café** ou **chá** adoçados com **mel**.

Lanche da manhã

Três horas depois de tomar o seu **café-da-manhã**, faça um **lanche**, coma uma das frutas propostas, uma fatia de **melancia**, ou **melão**, uma **pera** ou **pêssego**.

Atenção: Não jogue fora a casca da melancia!

Aquela casca meio verde e branca deve ser **fervida em água** (claro que depois de muito bem lavada), e essa casca se transformará num excelente **chá** para **problemas de bexiga**, como **cistite** e **retenção urinária**.

Olho no relógio para o intervalo de **três horas** entre cada refeição: esse é o **tempo** que seu **estômago** leva para **digerir** a grande maioria dos alimentos. Se você **sobrecarrega** seu estômago com outro alimento antes que ele termine de digerir os anteriores, tudo o que você vai conseguir são o **acúmulo de gorduras** e uma **digestão complicada**.

Almoço

O **almoço** também será dedicado ao seu Sistema Linfático, portanto temos de nos **livrar das toxinas** e dos **acúmulos de líquidos nos tecidos**. Uma boa **salada de erva-doce** no **verão**, um bom **caldo de salsão** no **inverno** são fundamentais para começar este serviço.

Arroz temperado com **curry** e algumas **nozes**, um pouco de **feijão azuki** irão dar energia suficiente para seu **baço** funcionar. **Alcachofras cozidas** também são perfeitas para esse dia, mas **não dispense a água,** que pode ser usada para **cozinhar** o **feijão** ou o **arroz**. Um bom **quibebe de abóbora**, ou **cogumelo shitake** na chapa com **molho de soja** e **gergelim**. Hummm!!!

Escolha uma **carne suave**, **frango**, por exemplo; faça na chapa com o mínimo de **óleo de girassol**.

Sobremesa: Uma **pera cozida** com uma colher de chá de **mel**. A água dessa pera é um excelente diurético e redutor de pressão arterial.

Opção, se for comer fora: escolha um **restaurante japonês**, com as **algas**, **arroz branco**, **queijo tofu** e **shitake**; assim, está garantida a saúde da sua segunda-feira.

Lanche da tarde

Um cacho de **uvas vermelhas** ou uma **tangerina**, que é fácil de transportar.

Jantar

Aqui você não perde no **paladar** nem no **visual**. Minha proposta com certeza não é a de uma dieta insossa, com aquela cara de comida de doente, mas sim a de uma comida gostosa, temperada, rica em tudo o que se precisa e, acima de tudo, com cara de **comida de quem está de bem com a vida** e consigo mesmo, além de ser um **carinho**, um gesto de **delicadeza para com seu corpo**.

Lanchinho da noite

Aqui em casa, numa tradição bem brasileira, janta-se cedo, nunca muito depois das 19 horas; portanto, lá pelas 22 horas, sempre fazemos um **lanche rápido**. As crianças quase sempre optam por um copo de **suco** ou uma **fruta**. Nós adultos preferimos um copo de **iogurte natural** com um **cereal**, tipo sucrilhos, ou **creme de frutas**. Experimente um **iogurte** com um **creme de mamão** batido no liquidificador. Fica uma delícia.

Antes de ir deitar para dormir, costumo passar o **creme hidratante** e uso os **óleos essenciais** de acordo com minhas intenções. Se quero **descansar**, uso **cidreira** ou **melissa**; mas se quero **namorar**, prefiro umas gotinhas de **sândalo**, **ylang-ylang** ou um toque de **canela**.

Mais uma coisa: **antes de se dirigir para a cama, passe por um móvel com gavetas, tire seus problemas da cabeça, guarde-os numa das gavetas e durma em paz**. Afinal, durante a noite você não poderá resolvê-los; eles ficarão guardados ali naquela gaveta, esperando por você, e amanhã, depois de uma boa noite de sono, você estará certamente em melhores condições para solucioná-los.

Vamos à lista de alimentos de segunda-feira?

Frutas: abacaxi, ameixa, amora, damasco, framboesa, goiaba, limão, lima-da-pérsia, mamão, manga, melancia, melão, morango, pera, pêssego, tangerina, uva.

Legumes e vegetais: abóbora, agrião, aipo, alcachofra, alface, alfafa, algas marinhas, berinjela, cará, castanha portuguesa, cebola, cenoura, cogumelo, cogumelo shitake, erva-doce, ervilha, espinafre, milho, nabo, noz, pepino, pistache, vagem.

Cereais: arroz, feijão azuki, feijão de corda, feijão comum, soja, trigo.

Carnes: anchova (deixe de molho do leite por meia hora, para tirar o excesso de sal), carne de galinha, carne de porco, fígado de galinha (vale até patê – se for feito em casa), marisco de água doce.

Ovos: de codorna e de pata.

Queijo: tofu (coalho de soja).

Temperos: cebola, cravo, erva-doce, gergelim, hortelã, noz-moscada, orégano, pimenta-do-reino branca, salsa, molho de soja.

Adoçante: mel.

Bebidas: café, chás de erva-doce, artemisia, camomila, alfafa, e se estiver com excesso de água, inchaço ou retenção urinária, use chá de feijão azuki, que favorece o equilíbrio hídrico do corpo, ou chá de carqueja para problemas de rim e bexiga.

Ativadores do baço: chá de folhas de morango, salsa, pasta de grão-de-bico. A porangaba, que anda fazendo tanto sucesso, e é facilmente encontrada em lojas e feiras-livres, tem um ótimo poder diurético: se estiver inchada e com edemas, pode tomar até três copos desse chá por dia. A medida para se saber a quantidade de folha a usar é simples. Coloque em um litro dágua a quantidade que couber em sua mão fechada.

Óleo: de girassol ou azeite de oliva mesmo.

TERÇA-FEIRA

Tuesday (Tie+Daëg) dia do Deus da Guerra (Marte)

Idade: maturidade (quando você começa a sentir se tratou direito ou com desleixo do seu coração)

Cor: rosa

Perfume: rosa, pau-rosa, neroli, petitgraim, sálvia e almiscar

Pedras: jaspe, diamante, quartzo rosa

Metal: ferro

Sistema: coronário

Benefícios: regularizar taxas de colesterol, manter a pressão arterial dentro da normalidade

Na terça-feira já estou mais **conformada** de que a semana começou; já **decidi** fazer uma alimentação mais saudável faz DOIS dias inteiros, e essa **decisão** na terça-feira é **muito importante**: é nesse dia que vou cuidar do **Sistema Coronário**, o sistema que tem o **coração** como guia. Manter esse músculo em bom funcionamento, bombeando sangue para todo o corpo, é vital. O coração pode **adoecer** por dois motivos básicos: pelo **Sistema Nervoso** ou pelo **Sistema Metabólico.**

Quando **não conseguimos metabolizar**, **digerir** os alimentos de forma fácil, ou temos **deficiências** na **química do corpo** que não nos permita tirar do alimento ingerido o que precisamos, ficamos **doentes** com **hipertensão**, taxas de **colesterol** e **triglicérides** muito altas.

No **Sistema Nervoso**, que afeta o coração, isso também acontece. Se não conseguimos digerir os acontecimentos, se nos obrigamos a manter nosso organismo em um ritmo acima de nossa capacidade, sobrecarregamos o coração e somos **vítimas** de **disfunção coronariana**, ou seja, temos um **enfarto**, uma **taquicardia**, devido ao **estresse**.

Ou ainda se não nos movimentamos, temos uma **vida sedentária**, não nos permitimos ter sentimentos, retemos as nossas paixões, sobrecarregamos assim o coração e ele fica entupido.

O equilíbrio do EU tem como base o coração. Quando nos referimos a nós mesmos, temos como gesto apontarmos para o próprio coração como que centrando o nosso eu, nossa pessoa, nossa personalidade. Recentes descobertas deram ao coração a importância que ele merece. Hoje se sabe que quem comanda nossos órgãos é o coração, e não o cérebro como os cientistas imaginavam; mas o conhecimento dos Antigos já dizia isso, não é?

Na **terça-feira**, dia do planeta **Marte**, o planeta guerreiro, vamos cuidar do nosso coração. Usando a **cor rosa** vamos mentalizar uma grande lata de tinta que se derrama sobre nós, regularizando assim nossas batidas cardíacas; depois vamos pedir ao nosso ser protetor que nos guie e nos proteja por mais este dia.

Marte é o planeta guerreiro, aquele que luta o tempo todo para manter a paz. Assim é seu coração. Quando outros sistemas do seu corpo não andam lá muito grande coisa, é o coração que vai compensar o funcionamento defeituoso. Quando seu **pâncreas não consegue metabolizar os açúcares**, é o **coração** que **vai compensar**. Quando seu **fígado rateia,** é o **coração** que **bate mais apressado** para socorrer o organismo. Este grande guerreiro merece toda a nossa atenção e carinho. A **glândula correspondente** ao coração é a **pituitária ou hipófise**, que é a mestra de todas as outras e integralmente responsável pela **clarividência.**

Clarividência é o nome pomposo para aquelas sensações que sentimos no coração alguns momentos antes de saber o teor das notícias que vamos receber. Quantas vezes você **pré-sente** um acontecimento referindo-se ao coração como sentir um aperto, ou parecendo que ele quer sair do peito? Essa **intuição**, essa sensação é nossa clarividência, tantas vezes embotada, desacreditada, mas sempre viva. **Aprenda a escutar essa voz do coração e confie nela, ela raramente se engana.**

E depois de acordar com alegria, vamos ao banho e aos perfumes de hoje. Lembre-se: na hora do creme hidratante procure adicionar os **óleos essenciais** de **rosa** com algumas gotas de **almiscar**. Um detalhe **rosa** na **roupa** ou na **bijouteria;** se preferir, uma joia. As **pedras** podem ser **jaspe**, **diamantes** ou **quartzo rosa** (ótimo canalizador de sentimentos, abre o *chakra* do coração). Uma bijouteria com o quartzo rosa em formato de coração atrai o amor verdadeiro.

Café da manhã

Nunca esquecendo do copo de água em jejum para acordar os neurônios, vamos ao **café da manhã** para fortalecer nosso guerreiro.

Frutas todas **doces**, com grande teor de **glicose** e **açúcares naturais**, elas estimulam e nutrem o coração.

Açúcar mesmo só o **mascavo**, mais fácil de digerir e metabolizar.

O **café** também é um bom **tônico, nunca em excesso.**

O **leite de vaca** também é muito bom, mas prefira **em forma de iogurtes**, mais acidulados e de fácil digestão.

Uma fatia de **pão de grão integral de trigo.**

Em vez de manteiga prefira um **queijo cottage** temperado com **ervas** ou **especiarias**. A receita digo depois.

No **lanche da manhã** (sempre três horas depois do café), fique com uma **fruta**. Qualquer uma, **uva**, **pera**, **banana** (rica em potássio) e, se estiver muito acelerado no seu ritmo, uma **maçã** faz milagres.

Aqui vale dar uma informação quanto às **quantidades**. Não estou falando de uma dieta para perder peso; mas se realmente quiser perder peso, fique de olho nas quantidades de alimentos ingeridos e sua qualidade. Você deve comer de tudo um pouco; se sentir fome, coma aqueles alimentos que você sabe que não engordam. **Tome muita água** e **exercite-se.**

E por falar em potássio... aqui vão algumas informações. O **potássio** é responsável pelo **trabalho muscular**; sua **falta** ou **excesso** podem causar **caimbras**, **apatia** e **confusão mental**. A lista de alimentos próprios para esse dia será feita por alimentos ricos em **potássio** e

magnésio, que está presente na **clorofila**. Portanto, todos os alimentos de **cor verde forte** são ricos em **magnésio**. Ele ajuda na **metabolização** do **cálcio** e na **absorção** de **vitaminas C, E, B12**.

Almoço

Em nome do potássio e do magnésio, hoje vamos prestigiar os alimentos de cores verde forte e os ricos em açúcar; portanto, uma boa **salada de agrião** ou **rúcula**, temperada com um **azeite de ervas**, pedacinhos de **cebola**, uns **talos de beterraba** bem cortadinhos, serão nossa entrada.

Arroz, só se for o **moti**, aquele da cozinha japonesa, ou o **cateto** e **feijão azuki**. Podemos substituir por alguma coisa com **trigo sarraceno, macarrão soba** por exemplo.

Verduras, todas; refogadas e com muita erva, como **manjericão, coentro, salsa e cebolinha**.

Proteina animal? Vamos hoje dar chance ao **peixe** tipo **sardinha, bacalhau, salmão** ou **atum**, **grelhados** junto com **shitake.**

Lanche da tarde

Pode ser um **chá**, um **biscoito** ou uma **fruta**.

Jantar

Uma **sopa fria** tipo ***gazpacho*** com muitos **tomates** ricos em potássio; ou se o frio for muito, um belo **caldo de legumes** e **folhas verdes**.

Lanchinho da noite

Um prato de **cereais integrais** com **iogurte desnatado** e um pouco de **mel**. Relaxante, calmante e de fácil digestão.

Vamos à lista de alimentos de terca-feira?

Frutas: açaí, ameixas vermelhas, maçã, pera, uva, laranja, mexerica, melão, amora, mamão, banana e todas as frutas secas, pecã, nozes, castanha-do-pará, tâmaras, damascos secos, uvas-passas.

Legumes e vegetais: agrião, rúcula, alcaparra, batata-doce, berinjela, beterraba, shitake, couve, espinafre, inhame, folha de beterraba, broto de bambu, tomate, aipo.

Cereais: arroz moti, feijão azuki, trigo sarraceno, cevada e centeio.

Carnes: fígado de boi, mariscos, peixe como a sardinha, atum, salmão, trilha.

Ovos: –

Queijos: Fresco e de baixa gordura.

Temperos: cebola, coentro, hortelã, gergelim, louro, manjericão, alho.

Leite acidulado: iogurtes, queijos frescos e pouca gordura.

Gorduras: óleos de girassol, azeite de oliva e manteiga em pouca quantidade

Adoçantes: mel, açúcar mascavo.

Bebidas: café, chimarrão, chás.

Ativadores do coração: folhas verdes ricas em ferro, alimentos amargos, frutas secas ricas em óleos não saturados.

Atenção: fique longe das margarinas, mesmo as ditas próprias para o coração.

Chás: menta, pitanga, alho, maracujá, artemísia, melissa.

QUARTA-FEIRA

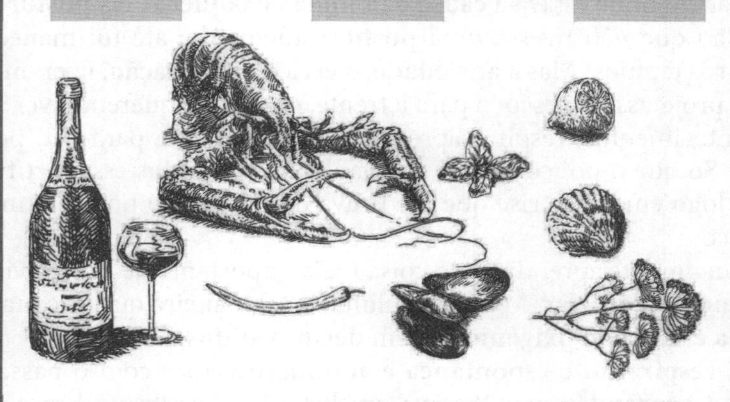

Wednesday, (woden+doëg) dia de Woden, Deus do Comércio (Mercúrio)

Idade: segunda infância (quando já se é capaz de tomar folêgo sozinho)

Cor: lilás

Perfume: âmbar, erva-doce, ylang-ylang, lavanda, manjerona, violeta

Pedra: ametista

Metal: mercúrio

Sistema: respiratório

Benefícios: oxigenar o organismo

Hoje vamos nos dedicar ao **Sistema Respiratório**. Vamos começar pela nossa respiração, dar uma passada na nossa higienização. Falaremos também até de nossos vícios de postura.

Sempre sofri de uma **enxaqueca** mortal. Aquelas com nome, sobrenome e R.G. Fiz TODOS os tratamentos possíveis, fui cobaia de TUDO o que inventaram para a cura ou apenas a amenização das crises. E enchi de **toxicidade** meu organismo a ponto de **deixar de fabricar serotonina**. E sabem onde estava a **causa** da minha **enxaqueca**? Na **postura**.

Não que não tivesse uma **postura adequada**: até fui manequim em outros tempos! Mas a **ansiedade**, o **erro de respiração,** fizeram com que eu projetasse o pescoço para a frente, como que querendo ver antes os acontecimentos, respirar apressada e rapidamente para não perder tempo. Só que o pouco tempo que ganhava com todos esses artifícios, perdia logo em uma crise que me tirava de circulação por pelo menos três dias.

Finalmente aprendi que a coisa mais importante de nossas vidas é **reaprender a respirar**. Manter a coluna de tal maneira que os **canais de entrada e saída do oxigênio** fiquem **desimpedidos**.

A **respiração** é **espontânea e automática**, mas com o passar do tempo **desaprendemos**. Observe um bebê respirando no berço. Veja como ele levanta e abaixa o tórax inteiro. O estômago e a barriga se movem, ampliando as costelas e dando lugar para a expansão dos pulmões. É assim que devemos **respirar**, **profundamente**. E por incrível que pareça, com a **movimentação** e o **correto alinhamento do corpo** melhoramos até aquela **barriga indiscreta** que a cada dia aumenta mais, por **erros posturais**.

Hoje, quarta-feira, preste atenção na sua **respiração**. Sei que não é fácil, mas no final do dia, se você respirou direitinho a maior parte do tempo, verá **mudanças** até na **cor de seu rosto**, que fica mais **oxigenado** e mais **rosado**.

Respirando melhor você vai notar os **perfumes** e **cheiros** ao seu redor. E esses **aromas** podem ser **agradáveis ou não**, dependendo do **muco preso** em seu **Sistema Respiratório**, começando pela **inflamação dos seios da face (sinus)**, a famosa **sinusite**, da **garganta**, **faringe**, **laringe** e, finalmente, dos próprios **pulmões**.

O **muco** é alimentado pelo **leite** e seus **derivados,** como o **queijo amarelo**, que unidos à **farinha de trigo e açúcares refinados** criam uma pasta que finca raízes nas vias respiratórias. A **energia estagnada inflama**, causando uma **sinusite crônica** que **piora** muito com a **mudança do tempo** ou com a presença de **agentes alérgicos. Ácaros, pólens, poeira, perfumes**, alguns alimentos são **agentes alérgicos** que desencadeiam as **crises**. Se você tem problemas desse tipo, atenção ao seu **consumo excessivo de leite**.

Antes de falar dos alimentos do dia de hoje, vamos falar um pouco sobre nossa **postura**. Para podermos entender de forma lógica o que é nossa **coluna vertebral**, vamos imaginar uma sequência de **pequenos cilindros equilibrados** e **intercalados por pequenos discos** (lembra-se de ter ouvido falar em **hérnia de disco?**) que servem como **amortecedores**. Qualquer desequilíbrio nessa pilha de cilindros irá se refletir no conjunto. E, como se isso não bastasse, ainda **prejudicamos órgãos essenciais** com nossa **postura desleixada**. A sábia **medicina chinesa** é conhecedora do **mapa de nossa coluna.**

Pare por um instante e verifique como você está sentado, agora olhe no mapa e veja que órgãos está pressionando e qual a maneira correta de colocar sua pilha no lugar novamente. Fique alerta, porque aquela crônica dor no fígado ou aquela sinusite podem ter outra razão para existir, e essa razão é a sua postura.

As vértebras e sua correspondência

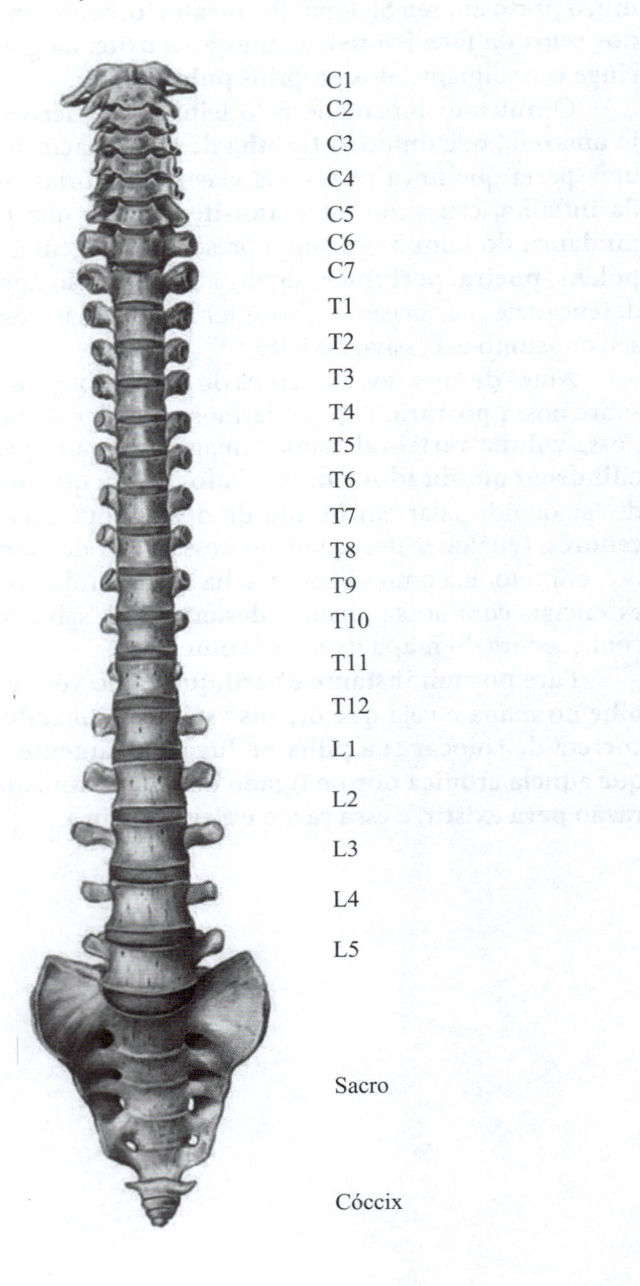

C1 Irrigação da cabeça, glândula pituitária, couro cabeludo, ossos da face, cérebro, ouvido interno e médio, sistema nervoso simpático.
Dores de cabeça, nervosismo, insônia, resfriados, hipertensão arterial, enxaqueca, esgotamento nervoso, amnésia, cansaço crônico, vertigem.

C2 Olhos, nervos óticos, nervos auditivo, sinus, ossos mastoides, língua, porção anterior e póstero-superior da cabeça.
Problemas sinusiais, alergias, estrabismo, rápida perda de audição ou visão sem motivo aparente, alguns casos de cegueira.

C3 Bochechas, ouvido externo, ossos da face, dentes, nervo trifacial.
Nevralgia, neurites, acne ou espinhas, eczema.

C4 Nariz, lábios, boca, tubo Eutaschiano.
Febre de feno, secreções, perda de audição sem motivo aparente, adenoides.

C5 Cordas vocais, glândulas do pescoço, faringe.
Laringire, rouquidão, dor na garganta, amigdalite.

C6 Músculos do pescoço, ombros e tonsilhas.
Rigidez do pescoço, dor no braço superior externo, amigdalites, coqueluche.

C7 Tireoide, bolsas da região dos ombros, cotovelos.
Bursites, resfriados, problemas de tireoide.

T1 Esôfago, traqueia, porção do braço abaixo do cotovelo, punhos e dedos.
Asma, resfriados, dificuldades respiratórias, dor no antebraço e mãos.

T2 Coração, incluindo válvulas, envoltórios e artérias coronárias.
Funções cardíacas, condições do torax, dor na região superior das costas.

T3 Pulmões, brônquios, pleura, tórax, dor na região superior das costas.
Bronquite, pleurite, pneumonia.

T4 Vesícula biliar, ducto biliar comum.
Condições da vesícula biliar, icterícia, herpes zoster.

T5 Fígado, plexo solar, circulação sanguínea.
Condições do fígado, febre, hipertensão arterial, anemia, circulação deficiente, artrite.

T6 Estômago.
Problemas gástricos, indigestão, pirose, dispesia.

T7 Pâncreas, duodeno.
Úlceras e gastrite.

T8 Baço, diafragma.
Baixa resistência, soluço.

T9 Glândulas adrenal e suprarrenal.
Alergias, urticária.

T10	Rins. Problemas renais, endurecimento das artérias, cansaço crônico, nefrite, pielite.
T11	Rins e ureter. Condições da pele, acne ou espinhas, eczema, furúnculo.
T12	Intestino delgado, circulação linfática. Reumatismo, flatulência, alguns casos de esterilidade.
L1	Intestino grosso, anéis inguinais. Contispação, colite, disenteria, diarreia, alguns casos de hérnia.
L2	Apêndice, abdome, região superior das pernas. Câimbra, dificuldade respiratória, acidose, veias varicosas.
L3	Órgãos sexuais, útero, bexiga, joelhos. Problemas menstruais (dor ou irregularidade) impotência, dor nos joelhos.
L4	Próstata, musculatura lombar, nervo ciático. Ciática, lubago, problemas urinários, dor nas costas.
L5	Porção inferior das pernas, tornozelos e pés. Circulação, câimbras, inchaço, fragilidade nas pernas e tornozelos.
Sacro	Ossos do quadril e nádegas. Condições do sacro ilíaco e curvaturas espinhais.
Cóccix	Reto e ânus. Hemorroidas, prurites, dores na base da coluna quando sentado.

Café da manhã

Depois daquele copo de água para acordar os neurônios, podemos optar por um pouco de **café** ou um delicioso **chá de poejo**. Sinta o **perfume** do **poejo**, veja como ele é **levemente mentolado**, tem um cheiro bom de **ar limpo**.

Não estranhe, mas vou pedir para você **acordar seu nariz, sentir o cheiro do mundo que você vive**, faz parte do programa de hoje.

Minha mãe sempre ralhou comigo pela mania de cheirar as coisas, sabia do tempero, dos ingredientes e até do tempo. **Nada entrava na minha boca sem que antes eu sentisse seu cheiro**. Graças ao estímulo constante do sentido do olfato, hoje posso fazer meus perfumes, óleos de massagens e ainda dou uma arriscada na degustação de vinhos e café. O meu sucessor será meu filho Antônio, que tem um nariz bendito, acho que até melhor que o meu.

Uma dica: quando estiver **triste e deprimida**, lembre dos **cheiros confortáveis da infância**. A lancheira, o estojo de lápis de cor novos, o perfume dos lençóis lavados. O cheiro de que mais gosto é até hoje o da terra depois da chuva. Ele me faz lembrar os passeios que dava com minha mãe, minha avó e minhas amigas no quarteirão depois da chuva das quatro, durante o verão, no bairro do Alto da Lapa, em São Paulo. Acho que **os cheiros da infância nos fazem sentir a segurança e a confiança de que precisamos**.

Voltemos ao café da manhã: a **fruta** você pode escolher entre **figo**, **tangerina**, **maçã**, **manga** ou **caqui**. **Abacaxi**, **morango**, **pêssego** podem causar **alergias** em algumas pessoas. Se for o seu caso, evite.

Açucar, só se for **mascavo**, ou então use **mel**.

Nesta quarta-feira vamos tentar ficar **sem comer farinhas**? Como o **pão** está descartado, costumo optar por uma **gelatina de agar-agar**, mas se você não abrir mão do pão, tenha um pouco de trabalho e procure um de **cevada**. Não são fáceis de encontrar, mas são muito saborosos, e garanto que você terá uma boa receita de **pão de cevada** no final do livro.

Se preferir um bom **mingau** pela manhã, substitua a **aveia** por **cevadinha**. Doce ou salgado, esse mingau é muito nutritivo e de grande importância na alimentação das crianças e adolescentes.

Quando estiver preparando seu café da manhã, lembre-se de ferver **uma xícara de água** e um pedaço de **romã** (tenha sempre uma romã ou sua casca congelada) para um **gargarejo**. Limpam e tonificam a garganta, acabando com irritações e problemas de voz.

Hora do banho e da massagem de creme hidratante? Os aromas dos **óleos essênciais** são **bergamota, jasmim, patchouli, gerânio, alecrim**. Quando estiver **gripada**, utilize estes óleos para **inalações**; se preferir use os de **eucalipto, cânfora, manjerona, melissa** ou de **poejo**. Não precisa de equipamento especial, basta uma leiteira com água fervente, umas gotas das essências e uma toalha. Faça uma cabaninha com uma toalha sobre a cabeça e respire profundamente os aromas. Todo o muco ali retido irá embora e você cheirará o mundo com outro nariz.

A **cor** de hoje é o **lilás** ou **violeta**, **cor da cura**. Imagine-se banhada por um **raio lilás**, sinta a sensação de **equilíbrio** e **paz.** A **ametista** com seus diversos tons de lilás tem hoje o seu dia. A **fluorita** ou a **sugilita**, pedras recém-descobertas, também são indicadas.

Lanche da manhã: uma fruta ou até mesmo aquela gelatina que você não comeu no café da manhã, lembra?

As **proteínas animais**, principalmente as de **crustáceos**, **peixes** e **frutos do mar**, também são grandes causadoras de alergias respiratórias e muco. Não exagere, tá?

Almoço

No almoço de Quarta-Feira, eu sempre faço uma alimentação com base nas **verduras, legumes** e **frutas**, buscando aliviar minhas vias respiratórias.

Lanche

Um rápido lanche, sempre três horas depois da sua refeição, pode ser uma **xícara de chá** e uns **biscoitos de aveia e mel**, que fazem um par bem saudavelzinho para o meio da tarde.

Jantar

No jantar, alguns cuidados: as pessoas que sofrem de **doenças respiratórias**, como **bronquite**, **asma** e **alergias**, devem fazer uma **refeição noturna muito leve**. Uma **sopa de legumes**, um **caldo verde** ou **vegetais refogados**. Mas **preste atenção nos temperos** utilizados para o refogado: **alho, cebola, alho-poró, mostarda** (em grão ou condimento) e **gengibre** podem ser **detonadores de crises**. Muita atenção à reação do seu corpo para notar se alguns desses temperos lhe causa alergia.

E chegamos à lista de alimentos de quarta-feira:

Frutas: banana, caqui, caju, figo, kiwi, laranjas e limões, maçã, manga, morangos, pera, tangerina, uva, umbu.

Legumes e vegetais: abóbora, agrião, algas, aspargo, azeitonas, beterraba, cará, couve, folha de mostarda, pepino e rabanete.

Cereais: cevada, centeio, trigo integral, aveia.

Carnes: rã.

Ovos: de codorna e de pata.

Queijo: tofu.

Temperos: cravo, erva-doce, hortelã, orégano, pimenta-do-reino branca, salsa, molho de soja, alecrim e manjerona.

Adoçante: mel, açúcar mascavo.

Bebidas: café de chicória ou cevada, chás de hortelã, poejo.

Ativadores do baço: chá de guaco, de poejo para as vias respiratórias, gargarejo de romã para garganta, hortelã e menta para o hálito e xarope de agrião e guaco para a tosse persistente.

Óleo: de soja ou azeite de oliva.

QUINTA-FEIRA

Thursday (thonar+doëg) dia do Deus dos Raios (Júpiter)

Idade: velhice (quando você percebe o quanto da sua vida já foi digerido)

Cor: verde

Perfume: alecrim, limão, sálvia, gengibre, noz-moscada, tomilho, jasmim, mirra e vetiver.

Pedras: esmeralda e jade

Metal: estanho

Sistema: digestório

Chás: boldo, erva-cidreira, camomila, erva-doce

Benefícios: eliminar gases, melhorar o metabolismo dos alimentos

Hoje vamos cuidar do **fígado, estômago** e **intestinos**, nosso **Sistema Digestivo**. Uma **limpeza profunda** em nosso Sistema Digestivo é fundamental para que nossa cura realmente aconteça como deve acontecer: **de dentro para fora**.

Nossa **digestão** é um **processo delicado** onde toda nossa **indústria química interna** é mobilizada para que o processo chegue ao final. Qualquer perturbação pode prejudicar todo o processo. Essas **perturbações** podem ter origem na **pressa** com que nos alimentamos, com as **condições do ambiente** onde comemos e a **qualidade** dos alimentos ingeridos.

Um exemplo disso são os **distúrbios alimentares**, como a **anorexia**, a **bulimia** e a **obesidade**. Segundo estudos muito recentes, esses distúrbios têm como uma das **principais causas** a **ansiedade**, a **mania de perfeição**, o **desejo de acertar sempre sem possibilidade de erros. Comer devagar (pelo menos 20 minutos),** dando tempo para que o estômago avise ao centro nervoso de que você está satisfeita, **não se distrair** durante as refeições com TV, **não se irritar** com discussões fora de hora fazem com que você **aproveite a essência dos alimentos** que ingerir.

O **processo digestivo** tem início na **boca**, quando **mastigamos** um alimento; depois o alimento vai para o **estômago**, onde é misturado aos **sucos gástricos** formando uma massa. Quando nesta **etapa da digestão** bebemos **sucos** ou **refrigerantes**, ricos em **açúcar**, podemos prejudicar todo esse sistema, causando **hiperacidez** e sensação de **inchaço**.

As **carnes** e **gorduras** levam muito **tempo** para ser **digeridas**, estando aí a sensação de plenitude depois de um churrasco, mas o que devemos saber é que, pela **demora** em digerir esses alimentos, eles começam a se **deteriorar** soltando **toxinas** no organismo e formando **gases**.

Para aqueles que gostam muito de **carnes**, principalmente as **vermelhas**, um **alerta**: as **carnes vermelhas**, quando ingeridas, precisam que nosso estômago produza **enzimas ácidas** para digeri-las. Quando nos alimentamos com **carboidratos,** precisamos de um **meio alcalino** para digeri-los. Assim, **quando misturamos carnes** com **carboidratos**, numa mesma refeição, nosso estômago enlouquecido produz **sucos ácidos e alcalinos.** O resultado é que o suco gástrico nem fica ácido o bastante para a digestão da carne nem alcalino o suficiente para a digestão das massas. Tudo fica **meio digerido** e vai ao **intestino grosso** (quando vai e não fica remoendo dentro do seu estômago), onde são **absorvidos** pelo organismo transformando-se em **gorduras** acumuladas. Portanto, quem quiser comer **carne** coma, mas sempre sozinha, **acompanhada** no máximo por algumas **verduras** cozidas.

Voltando à quinta-feira, ao regente **Júpiter** e **Zeus**, seu deus mitológico (**reserve os assuntos legais e pedidos de aumento para a quinta-feira, terá mais chances que dê certo**), temos a **cor verde** como guia. É essa **cor** que faz a **ligação** entre o **físico** e o **espírito imortal**, e também promove a **limpeza** e atua diretamente nos **órgãos** do nosso **abdômem**. Quantas vezes você já disse estar **verde de fome** ou que seu **fígado** está deixando-o **verde de mal-estar**?

Quando estiver muito **nervosa**, recorra ao meu **truque**: **pare**, **respire** fundo como se estivesse **enchendo o pulmão de ar verde**, deixe que esse ar entre pelo seu corpo e **percorra** cada mínimo lugar. Vá fazendo esta **respiração lenta e profunda** até sentir o **restabelecimento** de suas **batidas cardíacas** e um pequeno **relaxamento dos músculos**. Pronto, você já está **reequilibrada** e pode retornar ao que estava fazendo.

Falando um pouco mais do **fígado,** vamos para a **sabedoria popular**. O povo diz (muito sabiamente) que se você esta de muito **mau-humor**, deve estar **sofrendo do fígado**. A verdade é que quem está sofrendo é o fígado com uma **alimentação inadequada** e, portanto, **prejudicando você como um todo**. A **janela do fígado** para o universo exterior são os **olhos**. Veja: quando uma pessoa está com **hepatite**, seus **olhos** logo se tornam **amarelos**; se está **embriagada**, portanto com o **fígado sobrecarregado**, fica logo com os **olhos vermelhos** e **congestionados**. Assim, estar **bem do fígado** significa estar **desintoxicado**, com o **sangue livre de toxinas**, inclusive as **psíquicas**.

Faça esta experiência: quando você estiver com **muita raiva**, um **ódio muito intenso** de uma pessoa ou situação, observe o **gosto amargo** que sobe à **boca**, veja com que **sensação de ressaca** você fica. O **gosto amargo da derrota** é um conceito muito exato. E esse **exercício de observação** é muito útil para que você perceba o **pouco valor** e o **grande perigo** que sua **raiva** representa para você.

O **estômago** já é um pouco mais tímido. Quando alguma coisa não vai bem ele **dói**, **embrulha e queima** como se um dragão, destes que cospem fogo, tivesse sido acordado nas profundezas de seu estômago. Essa **sensação de queimação** mostra que a **camada protetora** das paredes do seu estômago não está lá muito bem. **Uma receita rápida** para **queimação, gastrite e azia**: algumas **folhas de couve** batida com o **suco de uma laranja-lima**, coado e tomado **em jejum durante uma semana,** recompõem a flora do estômago e ajudam a cicatrizar as feridas.

Meu marido vivia sofrendo com o dragão que morava dentro do estômago dele. Fiz com que tomasse **uma semana de suco de couve** e teve uma **melhora surpreendente**. Anos mais tarde, ele estava numa reunião com um cliente, quando surgiu a conversa da **azia** e **dores de estômago**. Ele, muito prosa, deu a receita para o amigo. No fim desse mesmo ano, fiz uma reunião para comemorar os 50 anos de meu marido e convidamos esse amigo. Qual não foi nossa surpresa quando ele entrou na festa carregando um enorme maço de couve lindamente embrulhado, como forma de agradecer por essa receita que ele nunca mais abandonou.

Vale uma dica a respeito do **leite de vaca**. Algumas pessoas que têm problemas de **queimação no estômago** recorrem ao **copo de leite** para ter um **alívio**. Realmente, o leite dá um **alívio imediato**... até **coagular** e **fermentar**, piorando em muito a **dor** e **mal-estar**. O leite brasileiro é **muito ácido** e junto com o suco gástrico faz um estrago nas paredes do estômago. Um **chá de camomila** acalma e alivia; se possível, **não use** nem **açúcar** nem **mel:** tome-o puro.

Os **intestinos** então, coitadinhos, são o **depósito de todos os erros alimentares, da pressa, das emoções contidas, dos rancores e das vinganças.** Os intestinos são sempre **desprezados,** deixado de lado, porque não gostamos de falar deles, não gostamos de lembrar dos **responsáveis pela limpeza do organismo.** Assim, um remedinho aqui, outro ali, nos livram de ter de **pensar seriamente** em nossos **intestinos.** Só que aqui o que nos interessa dos **intestinos** é a parte do processo em que eles **absorvem** os **nutrientes** dos **alimentos** que já foram **digeridos** e **separados** em seus **componentes** mais simples. (**Houve um tempo em que eu também pensava que os intestinos so serviam para fazer cocô.**)

Uma coisa importante, **não beba nada nem muito quente nem muito gelado**. Estes **extremos de temperatura** são **prejudiciais** a todo o **sistema digestivo**. Podem perguntar à Bibi Ferreira, que nunca toma nada que não esteja à temperatura ambiente, e até hoje está aí firme, forte e com uma voz maravilhosa.

No **banho**, procure utilizar **água morna**; no **creme**, use essências de **alecrim, jasmim, cravo** e **noz-moscada**. A **massagem** para espalhar o creme deve ser feita normalmente, mas quando chegar na altura do **intestino**, faça massagens em **sentido horário** para estimular o **peristaltismo**, movimentos do intestino que empurram as fezes.

Já estamos na quinta-feira: já passamos do meio da semana, já conseguimos realizar algumas coisas; outras podemos deixar para a outra semana, portanto vamos **acordar devagar** e **prestar muita atenção** ao **gosto de nossa boca**.

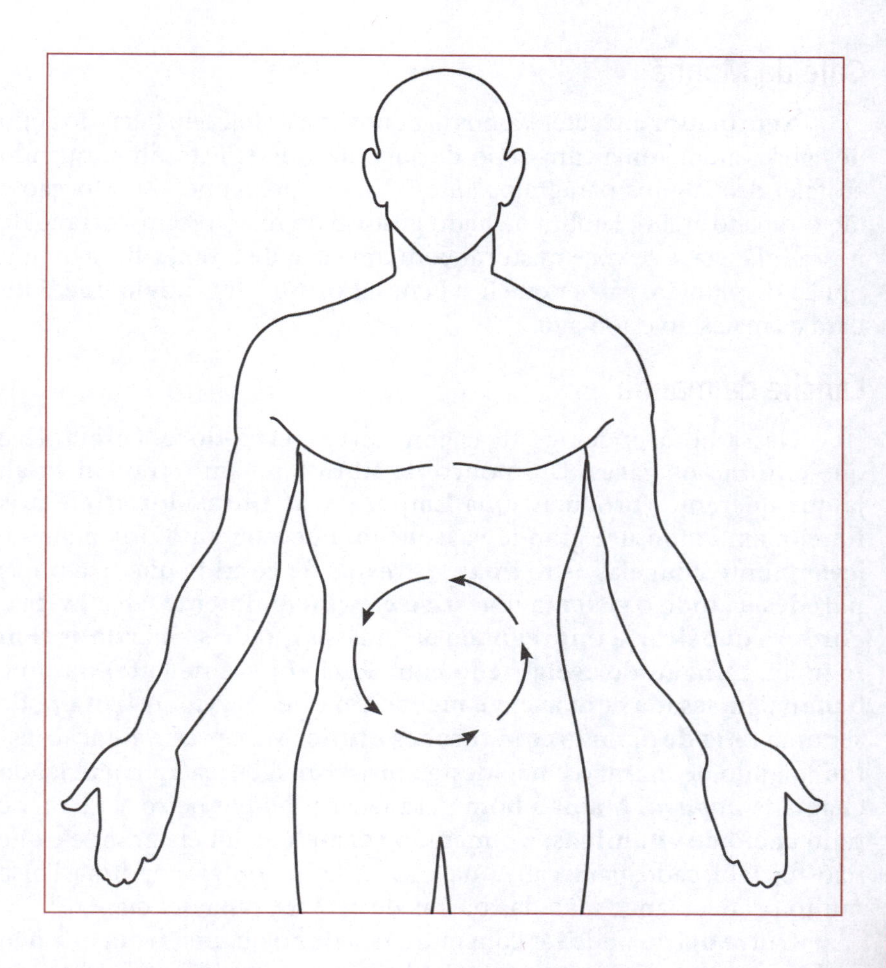

O **amargo** faz com que prestemos atenção ao **fígado**; o **azedo** ou **acre** nos leva direto a uma pequena disfunção dos **sucos gástricos** do **estômago**, e a **saliva** com um **leve sabor adocicado** nos coloca em **alerta** quanto ao funcionamento dos nossos **intestinos**. Mas calma, calma: **para tudo há um remédio**, uns mais **amargos**, outros muito **gostosos**, mas todos **fáceis** e **práticos** de se obter. Esses três **órgãos**: **fígado**, **estômago** e **intestinos** são **fundamentais** em nossas vidas e merecem de nós um **carinho especial**.

Café da Manhã

Nem pensar em café! Vamos ficar nos **chás**. Hoje, em lugar do copo de água, vamos tomar um **copo de suco de couve**. Estranhou quando eu falei dele alguns parágrafos antes? Não se preocupe: o gosto não é tão esquisito assim, lembra o cheiro gostoso do mato recém-cortado de nossa infância, e se você misturar com um **suco de laranja-lima** ou um pouco de **mamão**, vai ver que fica bem **saboroso** e traz **alívio imediato** para os males do estômago.

Lanche da manhã

Nessa hora podemos ficar com um de **erva-doce**, **calmante** e que **elimina os gases**. Um pouco de **fibra** também é fundamental, já que queremos produzir uma **limpeza**, e as **fibras dos alimentos** funcionam como um grande **vassourão**, que varrem o organismo e levam junto com elas as **toxinas**, os **restos de comida** que ficam nas **paredes** de todo o **sistema digestivo e, principalmente, absorvem a gordura que ficaria impregnada em nossos quadris**. **Sucrilhos com iogurte**, **mingau de aveia** (feito com água em vez de leite) ou uma **banana amassada com aveia e mel** fazem este serviço. A **fruta** pode ser uma **fatia de mamão com caroços e tudo**. Mas, preste atenção, estou falando de **mamão** e não desta **coisa transgênica&pasteurizada** chamada ***papaya***. **Mamão bom** para fazer ir ao banheiro, e além de tudo **cheio de vitaminas**, é o **mamão vermelho**, aquele grande e que não foi fabricado para caber na caixa. Se for optar por uma coisa muito prática, lance mão das barras de cereais, uma delícia.

Outra opção pode ser com outro **chazinho** ou uma **fruta que não tenha o caroço duro** no centro. Pode ser uma **banana**, uma **fatia de mamão**, **uvas**. Bem, a escolha é sua.

Almoço

Vamos ficar atentos ao consumo de **fibras**, quanto mais fibras comermos, maior será a limpeza. Uma refeição à base de **verduras cruas** para uma **salada**, **vegetais refogados**, **brotos**, condimentados com **alho**, **gengibre**, **coentro,** favorecem todo o processo.

Mesmo comendo alimentos leves, ou então no dia em que você sabe que **abusou,** coma de sobremesa uma fatia de **abacaxi**. Suas **fibras** e o seu **suco** ajudam muito a **digestão**. No caso de **fígado preguiçoso**, um **chá de boldo** ou **pariparoba** podem ser usados como **digestivo**, depois da refeição.

Lanche da tarde

Um sachê de **geleia real** ou uma espiga de **milho cozido** irão fazer sorrir seu estômago.

Jantar

O que você acha, por exemplo, de um filé de **frango grelhado** com **legumes** temperados com **molho de soja?** Gostou?

Então, vamos à lista de alimentos de quinta-feira:

Frutas: abacate, abacaxi, ameixas amarelas e vermelhas, amora, banana, caqui, figos, goiaba, maçã, mamão, manga, pera e uva.

Legumes e vegetais: acelga, agar-agar, almeirão, batata-doce, batata-inglesa, broto de bambu, cará, castanha portuguesa, cenoura, erva-doce, feijão azuki, milho, nabo, rabanete, repolho, tomate.

Cereais: cevada, centeio, trigo integral, aveia.

Carnes: fígado de boi, marisco de água salgada.

Ovos: as cascas de ovos torradas e moídas como fonte de cálcio.

Queijo: tofu.

Temperos: alho, cebola, azeitona, erva-doce, gengibre, gergelim, manjerição, noz-moscada, orégano, pimenta-do-reino branca.

Adoçante: mel, açúcar mascavo.

Bebidas: chás de hortelã, poejo, suco de abacaxi com hortelã.

Ativadores do fígado: chá de bolbo, de pariparoba e água de alcachofra.

Ativadores do estômago: camomila, espinheira-santa, dente-de-leão, funcho, gengibre, limão, louro e menta.

Ativadores do intestino: chá de ameixa preta, maçã cozida, sementes de mamão, poejo, quiabo.

Óleo: de soja ou azeite de oliva.

SEXTA-FEIRA

Sexta-Feira: Vênus
Idade: adolescência (a descoberta do prazer)
Cor: vermelho
Perfume: pau de sândalo, pimenta negra, canela, cravo, noz-moscada
Pedras: rubi
Metal: cobre
Sistema reprodutor
Benefícios: regularizar a libido, diminuir problemas sexuais como impotência e frigidez

Sexta-feira! Dia de se preparar para o **fim-de-semana** e colocar sua **vida sexual** em dia. Oba!

Não que seja obrigatório, e longe de mim dizer que você permaneça casta o resto da semana, viu? Mas sem hora para acordar no dia seguinte, e com uma mãozinha de **Vênus** no nosso céu, tudo fica mais fácil. Com a semana cheia de afazeres, compromissos, hora para deitar e acordar, fica mais difícil poder dedicar um tempo para nossa **vida íntima**.

Vamos nos **dedicar** a **cuidar profundamente** de nós mesmos. Um **acordar suave** com a sensação de que a nossa meta semanal está quase cumprida, um **banho** não muito rápido e uma **massagem** um pouco mais caprichada. Algumas gotas de essência de **sândalo**, uma pitada de **canela,** e você está pronta para **escolher sua roupa**.

Hoje é dia de **vermelho**, mas, pelo amor de Deus, não precisa sair por aí vestida de capeta! Uma **calcinha**, um **detalhe** estampado na roupa ou uma bela **bijouteria rubra** já nos colocam em **sintonia** com nosso **Sistema Reprodutor,** nossa **libido**, nosso **instinto animal**.

Falando de **sistema reprodutor** falamos de nossa **vida sexual**. Qualquer **problema** nesta área **afeta todas as outras** de forma direta. Quando falamos de **gente** muito **mal-humorada,** isso significa que essa gente **não tem reciclado seus humores**, seus **fluidos** estão **estagnados, não** foram **aquecidos** e, portanto, **não circularão**. Aí a **cabeça dói**, as **articulções** ficam **duras**, o **intestino** para, o **fígado** demora mais tempo para processar sua **bile**, o **pulmão** fica preguiçoso e você fica com uma sensação horrorosa de **inadequação**.

Existe uma **frase chula** que os homens costumam usar quando vão sair para fazer um programa: **"Vou trocar o óleo!" Muito grosseira** e **pouco romântica**, mas tem um grande **fundo de verdade**. O **aquecimento corporal**, a rápida **circulação do sangue,** faz com que todos os **fluidos** do corpo **se renovem**.

Mas **atenção**, não estou falando só do **ato sexual**, estou falando em **sentir-se sexual**, **saber-se sensual**, de estar em **plena conexão** com seus **instintos**. Sempre nos foi ensinado que os **instintos animais** devem ser **reprimidos**, que somos **animais racionais** e, portanto, devemos **deixar o instinto de lado**. Ledo engano. Quando estamos **abertos** aos nossos **instintos,** ficamos mais **sensíveis**, prestamos mais **atenção** em nossas **ações** e **reações** e ficamos em **estado de alerta**.

Meu marido teve uma ligação muito especial com esta coisa de **instinto**. Ele sempre dizia que, **quando não ouve seu instinto, sempre se dá mal**. Um exemplo disso foi quando uma **conhecida** nos convidou para um **jantar** com seu novo **namorado**. Assim que ela entrou com aquele homem **maravilhoso**, todos ficamos **boquiabertos**. O jantar foi correndo, o sujeito cheio de mesuras e elegâncias, o *maitre* chamando-o pelo nome, uma **sedução** de sair pelos poros. Nós nos despedimos, e mal entramos no carro meu marido disse: **"Este cara não vale o que come, tudo nele é estudado. O cara é uma farsa".** Eu, achando que ali tinha uma boa pitada de **ciúme** e **despeito**, não dei muita **importância**. Qual não foi minha **surpresa** quando, depois de alguns meses, essa moça foi **enganada**, enrolada num **grande golpe** dado no banco em que era gerente! O sujeito era simplesmente o **idealizador** e **líder intelectual** dos **arrastões nos túneis** do Rio de Janeiro, e **procurado** pela **polícia** de todo o país!

Portanto, as **aparências podem enganar** em muito se não estamos **atentos** e com os **instintos** em **alerta**. O **problema** é que, quando falamos em **instinto** ou **sedução,** só pensamos no **lado sexual** da questão, e nos **esquecemos** das muitas seduções que praticamos durante todo o dia, com o gerente do banco, com a moça do caixa do supermercado. Sabe o **sorriso simpático** e a **voz macia** com que nos dirigimos ao guarda de trânsito quando este nos pega fora do rodízio? Pois é: **sedução.** Pura e simples.

A sedução é uma arma poderosa; se não ficamos **cientes** e **canalizamos** todo este **potencial,** podemos ser **vítimas inocentes** desta arma. Vamos **despertá-la**?

Depois de acordar e tomar seu copo de água, vamos ao **ritual matinal**. Acorde **meia horinha mais cedo**, você merece um tempinho a mais no dia de hoje. Bata no **liquidificador** uma xícara de **feijão azuki** e algumas raladinhas de **noz-moscada**. Coloque essa farinha num recipiente de louça, acrescente **óleo de amêndoas doces** até formar uma **pasta**. Vá ao **banheiro**, pegue uma toalha meio velhinha para forrar o chão e faça uma **massagem esfoliante** no **corpo inteiro**. Começe pelos **pés**, reforce os **joelhos**, **cotovelos,** que sempre se mostram mais **ressecados. Remova** a **pele velha**, os **velhos preconceitos**, e **se descubra**. Veja como é boa a **sensação** de **carinho** e **cuidado** que você tem com você mesma.

A grande maioria dos **bloqueios sociais e sexuais** tem como raiz as **ordens recebidas na infância** quanto à nossa **inadequação**. Dizem-nos que o **corpo** é **sujo**, **feio**, que **não devemos nos tocar**, **nos descobrir**. Aí nasce essa **sensação de inadequação**, porque a criança não sabe ainda dos preconceitos e, quando lhe dizem que seus **genitais não devem ser tocados porque são sujos**, ela entende que **ela é que é suja**, ela é que é **imprópria.**

Mas sempre é tempo de você **desmanchar** essas **ordens** e **descobrir** seu **corpo**, as **sensações boas** que ele pode lhe dar e começar a lhe dar **voz** e **atenção**. **Seu corpo fala: você é que anda meio surda**...

Dei **aulas** de **postura, etiqueta** e **ética** para uma deliciosa turma da **terceira idade**. Quando perguntei se alguém usava **creme**, a grande maioria disse que usava. Quando perguntei se se **massageavam**, se **redescobriam seu corpo**, todos, **homens e mulheres,** ficaram me olhando como se estivesse **falando grego**. Ensinei a mesma massagem de que já falei, e na **aula seguinte** todos me falaram do **prazer** e **bem-estar** que sentiram quando colocaram a massagem em **prática**. Portanto, sempre é tempo: esses meus alunos tinham entre 65 e 76 anos.

Voltando ao **banho**: uma **ducha** para retirar o óleo, mais uma **massagem** para espalhar o **creme** hidratante com óleos essenciais de **cravo, ylang-ylang**, **sândalo**. **Aromas quentes** para aquecer seu **lado sensual** durante todo o dia. Não dizem que **o melhor da festa é esperar por ela**? Começe agora mesmo a **programar** seu **fim de noite**.

As **receitas afrodísiacas** que você está esperando estarão todas no final do livro. Agora vamos às **receitas** para deixar todos os **órgãos reprodutores** funcionando perfeitamente.

Café da manhã

Uma **fruta**, que pode ser o **caqui**, com seu poder restaurador, ou um **suco de framboesas** com um pouco de **capim-limão. Cereal** dá **energia**, escolha o de que mais gosta. **Hoje você pode se dar muitos prazeres. Café** é **estimulante**.

Lanche da manhã

Um punhado de **nozes**, ricas em óleos que ajudam a consolidar a energia vital.

Almoço

No **almoço** podemos ficar com um antepasto de **berinjelas ao azeite**, com **azeitonas**, **pimentões** e **uvas-passas**. Para a entrada, um prato quente com vários **cogumelos** e um **peixinho grelhado**, ou ainda uma **casquinha de siri. Sobremesa? Pêssegos!**

Lanche da tarde

Pode ser uma **espiga de milho** ou um punhado de **soja torrada e salgada** (maravilhoso **estabilizador de hormônios**).

Jantar

No **jantar** podemos **abusar** dos **temperos**. Se resolver jantar fora, escolha um **restaurante tailandês**. Se ficar em casa, use a **imaginação** e algumas **receitas afrodisíacas**. Não dizem que **Deus** criou os **alimentos** e o **Diabo** os **condimentos**? Pois então...aproveite! Para os **carnívoros,** carne de **cabrito**, **rins de carneiro** ou **ostras gratinadas**. Para os **lactovegetarianos,** um suflê de **cogumelos**. De **sobremesa**, um molho de **amoras** frescas ou congeladas com **sorvete de creme**.

Lanchinho da noite (ou para depois do namoro...)

Um sanduiche de **pão integral**, **patê de ricota** e **picles**, ou **rolinhos de presunto** com cubos de **melão** com **acetto balsâmico**. Parece delicioso, não é?

Eis a lista de alimentos de sexta-feira

Frutas: Amora, caqui, framboesa, figo, mamão, melancia, morangos, pêssegos, tâmaras, frutas secas.

Legumes e vegetais: aipo (para corrimento), alho-poró (para impotência), berinjela (cistos, infecções e mamas), cogumelos (todos), cará, rabanete.

Cereais: cevada, centeio, trigo integral, aveia, feijão azuki, feijão-de-corda, grão-de-bico (homus).

Carnes: caranguejo (prevenir câncer de mama), camarão (contraindicado para ejaculação precoce), ostras, cordeiro, cabrito e seus miúdos como rim, testículos, galinha (combate corrimento vaginal) e galo (inflamação nos testículos).

Ovos: recomendados, de uma maneira geral.

Queijo: tofu e queijos fortes, coalhadas temperadas.

Temperos: alho, canela, cárdamono, coentro, cebola, azeitona, erva-doce, gengibre, gergelim, manjerição, mel, limão e folha de limão, alecrim, noz-moscada, orégano, todas as pimentas.

Adoçante: mel, açúcar mascavo.

Bebidas: chás de jasmim, gengibre, vinho tinto, champagne.

Chás: de amoras, para regularizar os hormônios.

Óleo: de girassol e de oliva prensado a frio.

SÁBADO

Sabado: (sætern+daëg) Saturno

Idade: senilidade (quando você pode sentar e descansar observando seus descendentes à sua volta)

Cor: azul

Perfume: pau de sândalo, ginseng, alecrim

Pedras: lápis-lazúli, água-marinha, hematita

Ervas: cominho, rosa, arruda e urtiga

Metal: chumbo

Sistema: escretor

Benefícios: Limpar o organismo, melhorar o aspecto do cabelo e da pele, eliminar toxinas

Hoje é **dia de faxina**, de nos livrarmos de tudo aquilo que não queremos mais, ou o que não nos serve. Começe o dia com uma a ideia fixa: a de **jogar fora tudo o que não tem utilidade**, sejam **roupas**, **papéis**, **objetos quebrados**, **toxinas**.

Sábado eu sempre **acordo cedo** e vou fazer um passeio delicioso pelo Parque da Água Branca, aqui em São Paulo, onde compro na feirinha de sábado os **produtos orgânicos** para quase toda a **semana**. São **legumes**, **verduras**, **frutas da estação**, **pães**, **coalhadas**, **manteiga pura**, **pedacinhos de cana-de-açúcar descascados e cortados**, e **vasos de temperos**, quando tenho que repor minha pequena horta ou dar de presente para alguém. Entre as **árvores** e as crianças e namorados, atletas e curiosos, faço minha **higienização cerebral**. Volto com a cabeça limpa e a sacola cheia de sabores e cores.

Chego em **casa**, todos **ainda dormem**. Pego no **jardim** uma folha grossa de **babosa**, troco de roupa rapidinho, volto para a **cozinha**, abro a folha de babosa, espalho a goma de sua **seiva** pelo **cabelo**, coloco uma **touca** e começo a guardar as compras. Enquanto isso, no fogo, já começa a ficar pronto o **café da manhã** da minha turma, porque nos **finais de semana** sempre tem algum **convidado**, amigo das **crianças**, amigos **nossos**, sempre tem alguém de fora. Adoro minha **casa cheia**!

Começo a pensar no **almoço**: separo os ingredientes de preparo e vou fazer uma **faxina rápida** enquanto a casa acorda devagar. Essa **faxina** sempre começa com uma **bacia cheia de água morna** e algumas gotas de **creme rinse**, bom para lixar o **pé**, limpar as **unhas** e empurrar a **cutícula.**

O dia de **sábado** é **favorável** para todo tipo de **limpeza**. Seja **interna** dos seus **órgãos excretores**, seja **externa** para fazer **depilação**, **esfoliação**, **limpeza de pele** do rosto ou ainda **limpeza do ambiente** onde mora.

A **sabedoria oriental**, com o **Feng-Shui** e sua maneira minimalista de ser, afirma que **tudo o que você não usa no período de um ano deve ser descartado**. Isto vale para **roupas** e todas aquelas **tralhas** que vamos acumulando. **Tudo o que está quebrado deve ser reparado**. E tudo o que o faz **lembrar de coisas ruins** ou **situações de sofrimento** devem ser **doados**.

Os **objetos** e **roupas guardados** e **sem uso** são **âncoras** que lhe prendem ao **passado** e não permitem que sua **vida** siga em frente de maneira **fácil** e **próspera**. Aqui em casa sempre fazemos uma boa **limpeza de roupas e objetos** na entrada da **primavera**. Assim **doamos tudo o que não serve** e que está sem uso, e **deixamos espaço para o novo entrar em nossas vidas**.

O **nosso corpo** também funciona mais ou menos assim: quando os **dutos** estão **limpos** e **desimpedidos**, quando você **não retém fezes nem urina,** seu **organismo** funciona de maneira mais **harmoniosa**. O **inchaço** vai embora, sua **pele** fica mais **uniforme** e **com brilho**, e seus **cabelos** ficam mais **sedosos**, pois o **organismo** está sendo alimentado com **coisas frescas**, **vitaminas** recém-retiradas dos alimentos e não com **restos de alimentos** em adiantado **estado de decomposição**, que você vinha retendo dentro de si mesma sem saber disso.

A casa começa a acordar e eu vou para o **banho**, um banho **mais demorado** e com mais **cuidados especiais** para o cabelo e corpo que no resto da semana. Se você fez a **esfoliação** na sexta-feira, hoje cuide só de **hidratar** a **pele** do corpo; se não fez por falta de tempo, agora é uma boa hora, hora boa também para a depilação, limpeza de pele e tudo o mais que quiser tirar de você. Os óleos essenciais de hoje devem ser **pinheiro, gerânio** e **sálvia**; se seus problemas são **retenção de urina,** use **funcho e manjerona;** para **retenção intestinal**, **rosa** e **canela**.

O **cabelo** coberto pela seiva da **babosa** deve ser **lavado** com um **xampu neutro**; os **pés** limpos devem receber uma boa quantidade de **creme**, assim como as **pernas** e depois o **corpo** todo. Lembre-se: **comece sempre de baixo para cima**. Quando chegar ao **abdômem**, eis uma boa **dica** para **atenuar** aquela **barriguinha. Quatro dedos abaixo do umbigo temos um ponto de vazão dos líquidos acumulados no abdômem. Faça massagens direcionando todo o excesso para esse lugar e pressione delicadamente**.

O sábado também serve para você **limpar sua cabeça de tudo o que a aborreceu durante a semana.** Raivas, coisas não ditas; jogue fora tudo o que guardou aí dentro. Pegue algumas gotas de uma essência de **rosas brancas**, massageie o **ponto** que fica **entre os seios**. Observe os **nódulos** que as **angústias** formam nesse local. Vá **desmanchando** cada um deles, com o **firme propósito** de se **livrar** deles. No começo pode ser um pouco dolorido, mas com a **continuidade da massagem**, tudo o que irá sentir é cada vez mais um **grande bem-estar**.

A **roupa** de hoje deve ter tons **azuis**. De preferência **azul-claro** com muita luz, mas qualquer azul serve. A **pedra** pode ser uma delicada **água-marinha**, um **lápis-lazúli** com toda sua personalidade ou uma **hematita** com seu aspecto metálico e seu **poder de cura.** Os antigos sempre diziam que quem estivesse com algum **ferimento** difícil de fechar deveria mentalizar a cor **azul** e colocar uma pedra de **hematita** sobre ele. A experiência confirma. Não custa tentar.

Café da manhã

Broinhas de milho e passas, o **pão de semente de girassol** que eu comprei no parque e você compra na sua padaria de confiança ou faz em seu próprio forno, **coalhada**, **frutas**. O **chá** de **cabelo de milho**, **sene** e folha de **abacate** deve estar na temperatura certa para ser bebido. Sem açúcar, tem um interessante gosto de mato, nada muito estranho.

Lanchinho da manhã

Algumas fatias ou tiras de cenoura, aipo, chuchu cru, pepinos. Colocados num copo com gelo ou água gelada. Servido com um delicioso molho de iogurte, queijo cotagge e ervas, azeite e sal.

Você ali, dando um tempo, cuidando de si, e uma fatia de cenoura mergulhada nesse molho fresco. Você degusta o prazer de estar viva. É muito bom...

Almoço

Antes de começar a faxina eu gosto de iniciar os preparativos para o **almoço**, que vai ter, por exemplo, **salada de arroz integral e feijão azuki** com **passas** e **nozes**, **folhas** coloridas, **anchova grelhada** e um acompanhamento. Como o **arroz** e o **feijão,** assim que ficarem prontos, precisam **esfriar antes de ser temperados**, coloco tudo no fogo controlado e vou dar uma ajeitada na casa.

Lanche da tarde

Algumas **ameixas** secas deixadas de molho na **água de rosas** ou algumas balas de **agar-agar**, que você já encontra em qualquer supermercado.

Jantar

Se for **jantar** fora, prefira um **restaurante português** com aqueles **cozidos,** ou uma boa **bacalhoada**, rica em **ômega3**, **azeites** e **batatas cozidas**. Mas se estiver a fim de comer em **casa** mesmo, o sábado tem **ingredientes deliciosos** e de grande **poder**.

Lanchinho da noite

Coulis de mamão com iogurte e cereais tipo musli, ou um sanduíche de pão de cevada com pasta de tofu temperada com salsinha, cebolinha e sal marinho.

Vamos à lista de alimentos de sábado

Frutas: morango, mamão, manga, lima-da-pérsia, grapefruit ou toranja, ameixas, abacaxi, melancia e melão.

Legumes e vegetais: aspargo, bardana, cebola, cenoura, chicória, agar-agar, alface, anchova, batata-doce, ervilha, vagem, mandioca.

Cereais: cevada, arroz integral, farelos de trigo, de milho, de aveia.

Carnes: anchova.

Ovos: não.

Queijo: tofu, queijos fortes, coalhadas temperadas.

Temperos: alho, cebola, erva-doce, gergelim, manjericão, mel, limão e folha de limão, alecrim, salsa, cebolinha, endro, alfavaca.

Adoçante: mel.

Bebidas: sucos de frutas.

Chás: chás de sene, porangaba, cabelo de milho.

Óleo: de girassol e de oliva prensado a frio.

Segunda Parte

RECEITAS

1. Sistema Nervoso

SALADA DE ALFACE, AGRIÃO E RÚCULA

Temperada com nozes picadas e queijo cottage, salsa e cebolinha. Sal marinho e azeite extra virgem.

SALADA DE CENOURA

Cenoura ralada com beterraba, rabanete, pepino – temperada com limão, azeite, alho e manjericão.

SALADA DE ARENQUE EM CONSERVA

Arenque sem pele nem espinhas, alfavaca, cheiro-verde, três dentes de alho, batatas médias, maçãs picadas, alface, tomate, temperada com azeite, limão e sal marinho.

SALADA DE GRÃO-DE-BICO EM LATA

Grão-de-bico, com alecrim, cebola roxa, temperada com gergelim (em pasta – tahine), limão e azeite.

OSTRAS McDONALD

Com espinafre, coalhada, limão, feitas no forno em ramequins individuais, temperadas com sal marinho e raiz forte.

TRUTA ASSADA

Limpa, passada no ovo batido e na farinha de milho, temperada com sal marinho e servida com salsinha e suco de limão.

(Variação: tempere a truta com endro e limão)

TORTILLA COM BATATAS, CEBOLAS, ERVILHAS

Temperada com salsa, cebolinha, feita em frigideira untada com azeite e sal marinho. Corte as batatas em rodelas finas e as cebolas. Coloque umas duas colheres de azeite extra-virgem numa frigideira, espere esquentar bem, coloque as batatas arrumadas, espalhe as cebolas por cima e espere a batata fritar levemente, acrescente a ervilha.

Separadamente, bata uns quatro ovos, tempere com sal, salsa e cebolinha, um pouco de queijo ralado; bata bem e jogue na frigideira. Tampe e espere cozinhar um lado. Depois, com ajuda da tampa da frigideira, vire a fritada para dourar o outro lado.

Sirva bem quente e regue com um pouco de azeite ou polvilhe queijo ralado.

MANDIOCA COZIDA COM AÇÚCAR MASCAVO

Cozinhe a mandioca, escorra e salpique com açúcar mascavo.

SALADA NIÇOISE (1)

Ingredientes
favas
batatas em rodelas finas
tomates picados
alcaparras
azeitonas negras
anchovas
Obs.: As anchovas devem ser postas de molho em leite ou água morna com antecedência, para perder o sal.

Tempero:
azeite
sal marinho quase grosso
pimenta branca
suco de limão
raspas de limão
As batatas deverão estar cozidas em rodelas ou assadas no forno, cortadas para que o sabor de madeira sobressaia. A casca não deve ser tirada, mas apenas lavada. As favas devem ser pré-cozidas e sua casca externa tirada.

{Podem ser substituídas por petit-pois, ou feijões brancos.} Azeitonas cortadas em círculos. Tomates em oitavos, sem sementes.

SALADA NIÇOISE (2) Cordon-Bleu

Ingredientes

2 batatas pequenas em rodelas (ou equivalente)
¼ de colher de sal marinho médio
50 g favas
¼ pimentão verde sem casca, à Julienne
¼ pimentão vermelho, idem, idem
1 porção alface em tiras
100 g (2 filés) filé de atum grelhado
8 filés de anchova demolhados e escorridos
1 cebola roxa pequena cortada finamente
8 azeitonas pretas, sem caroço

Tempero:

suco de limão
¼ de colher de chá de pimenta branca
2 colheres de sopa de azeite de oliva
1 colher de casca de limão, ralada

Modo de Fazer

1. batatas em rodelas assadas no forno com casca.
2. tomates limpos e ovos cozidos cortados em quartos.
3. vinagrete: combinar suco e pimenta e emulsionar com os óleos.
4. Colocar batatas, pimentões e favas na cuba; misturar com metade do vinagrete e um pouco do sal. CUIDADO PARA NÃO DESMANCHAR AS BATATAS.
5. Colocar no fundo do prato a alface. No centro, os legumes. Colocar os filés de atum; sobre eles, as anchovas. Arrumar as cebolas pela borda. Sobre elas, os ovos e os tomates alternados.

Completar com as azeitonas, inteiras, sem caroço ou em círculos. Por o restante do sal. Pôr sobre ele o vinagrete. Salpicar com a casca de limão ralada.

INSALATA CAPRESE

Ingredientes

folhas de manjericão picadas
3 colheres de azeite de oliva
3 tomates em cubos
250 g de mozzarela em fatias
sal marinho médio
¼ de colher de pimenta branca
½ de colher de vinagre branco
folhas de hortelã finamente picadas.

Modo de Fazer

1. Folhas de manjericão rasgadas em marinada com o azeite, COM ANTECEDÊNCIA.

2. Arrumar tomate e muzzarella aletrnadamente num prato. Temperar com sal & Pimenta. Cobrir com o manjericão e o azeite. Ajustar com gotas de vinagre. Salpicar com o hortelã.

LARANJAS DE MINORCA

2 laranjas em gomos sem pele
suco dos bagaços
1 colher de nozes, pistaches
1 colher de mel
1 colher de hortelã picado

Modo de Fazer

1. Arrume os bagaços em flor em uma taça rasa. No centro coloque a colher de nozes e pistaches. Regar com o mel, espargir com o hortelã e servir imediatamente sobre gelo.

MAÇÃS DO AMOR

8 palitos de madeira de sorvete
8 maçãs vermelhas, lavadas e secas
1 xícara de água
3 xícaras de açúcar
½ xícara de Karo
1 colher de chá de corante vermelho para alimentos

Modo de Fazer

Coloque um palito em cada maçã, do lado do cabinho. Unte uma assadeira larga e reserve.

Numa panela com capacidade para dois litros, misture os ingredientes restantes e leve ao fogo baixo até levantar fervura, sem mexer.

Ferva em fogo forte sempre sem mexer, até que um pouco da mistura colocada em água fria separe-se em fios duros, cerca de cinco minutos ou até que o termômetro chegue a 145°C.

Usando um pincel molhado em água quente, limpe ocasionalmente as paredes da panela durante o cozimento. Quando a calda estiver pronta, retire do fogo e, inclinando a panela, mergulhe as maçãs na calda para que fiquem totalmente envolvidas.

Retire a maçã da calda e, segurando-a em cima da panela, deixe escorrer o excesso.

Arrume as maçãs sobre a assadeira untada. Trabalhe rapidamente para que a calda não endureça. Deixe as maçãs esfriarem por uma hora antes de servir.

DAMASCOS ASSADOS COM CREME DE LEITE

½ quilo de damascos, sem descascar
⅓ de xícara de açúcar
⅓ de xícara de água
½ colher de chá de canela em pó
¼ de xícara de creme de leite

Modo de Fazer

Ligue o forno (190º), corte os damascos ao meio, retire os caroços e coloque-os numa forma refratária.

Numa tigela, misture o açúcar, a água, a canela e despeje sobre as frutas. Asse atá que estejam macios. Regue os damascos com o creme de leite e asse-os por mais cinco minutos.

BATATAS-DOCES COM VINHO XEREZ

1,5 quilo de batatas-doces
água-sal
¼ de xícara de manteiga
¼ de xícara de açúcar mascavo
2 colheres de sopa de vinho tipo xerez doce
pimenta-do-reino a gosto

Modo de Fazer

Numa panela com capacidade para quatro litros, coloque as batatas-doces e água salgada suficiente para cobrir as batatas e deixe levantar fervura em fogo forte. Diminua o fogo, tampe e deixe cozinhar por 30 a 40 minutos, ou até quando estiverem macias.

Amasse as batatas, juntamente com a manteiga, até que fique uma massa lisa. Adicione os outros ingredientes e o sal. Bata no processador por mais dois minutos ou até que fique bem leve e fofa.

CENOURAS COM ESPECIARIAS E PASSAS

¾ de xícara de água
1,5 kg de cenouras, cortadas em rodelas
1 xícara de passas escuras sem sementes
½ xícara de manteiga
⅓ de xícara de cebola, picada fina
2 colheres de chá de canela em pó
sal a gosto
¼ de xícara de açúcar mascavo

Modo de Fazer

Numa panela com capacidade para quatro litros, cozinhe todos os ingredientes, com exceção do açúcar, em fogo baixo, por 15 minutos ou até que as cenouras fiquem bem macias, mexendo ocasionalmente. Acrescente o açúcar e cozinhe até dissolver. Sirva como acompanhamento.

PAELLA A LA MARINERA

Ingredientes

Caldo:
6 colheres (sopa) de azeite de oliva
1 cebola média
1 kg de carcaça de peixe
1 cenoura média
2 folhas de louro picadas
1 tomate médio maduro e picado
10 xícaras de água
Paellla:
1 xícara de azeite de oliva
800 g de carne de lagosta cortada em pedaços
sal a gosto
2 colheres de extrato de tomate
1 colher de páprica doce
600 g de cação limpo e cortado em pedaços
1 pitada de açafrão
3,5 xícaras de arroz cru
12 mexilhões com casca aferventados
2 dentes de alho amassados com uma colher de salsa picada e duas colheres de azeite de oliva

Modo de Fazer

Numa panela, coloque o azeite e a cebola picadas. Leve ao fogo médio e frite até a cebola ficar macia. Acrescente as carcaças de peixe, a cenoura, as folhas de louro e o tomate; cubra com água e cozinhe por 40 minutos. Tire a panela do fogo, coe e mantenha esse caldo aquecido.

Preparando a paella:

Numa panela ou caçarola grande, coloque o azeite de oliva e leve ao fogo forte para aqueçer. Acrescente a carne de lagosta e deixe fritar um pouco. Adicione o extrato de tomate e a páprica doce e misture bem. Junte os pedaços de cação e o caldo de peixe reservado, tempere com sal a gosto e a pitada de açafrão, misture novamente e deixe ferver.

Assim que levantar fervura, junte o arroz e cozinhe por dez minutos em fogo forte. Baixe o fogo e cozinhe por mais dez minutos. Acrescente a metade dos mexilhões e a mistura de alho, salsa e azeite no arroz já cozido e misture bem. Coloque os mexilhões restantes por cima do arroz. Tire a paella do fogo, deixe descansar por alguns minutos e sirva.

CHÁS:

Arteriosclerose

Sete Sangrias

Coloque uma colher de sopa da planta fatiada em uma xícara de água fervente. Abafe por dez minutos, coe e beba uma xícara de chá de uma a três vezes ao dia.

Calmante

Erva-cidreira

Coloque uma colher de sopa das folhas de erva-cidreira em uma xícara de água fervente. Abafe por dez minutos, coe e beba uma xícara de chá pela manhã e outra antes de dormir.

Estresse

Mulungu para tensão nervosa e insônia

Coloque uma colher de sobremesa de pó de mulungu em uma xícara de água fervente. Abafe por dez minutos, coe e beba uma xícara antes de dormir.

Pertubação do Sistema Nervoso

Alface, capim-limão, valeriana

Coloque uma colher de sopa das folhas de alface em uma xícara de água fervente. Abafe por dez minutos, coe e beba uma xícara duas a três vezes por dia.

Para banho de imersão em banheira

Relaxante muscular

Louro para banho de imersão em banheira

Coloque cinco colheres de folhas fatiadas em um litro de água. Deixe ferver por dez minutos, coe e adicione à água da banheira. Tome este banho antes de dormir.

Tônico estimulante

Fáfia e guaraná em pó.

Faça um chá com uma colher de sobremesa em uma xícara de água fervente. Abafe por dez minutos, coe e tome pela manhã.

2. Sistema Linfático

RISOTO DE CENOURA COM SUAS RAMAS

E COGUMELOS
2 cenouras médias com as respectivas ramas
2 xícaras (chá) de arroz
5 xícaras de água
1 xícara de cogumelos frescos cortados em fatias
1 cebola pequena picada
3 dentes de alho amassados
2 colheres (sopa) de azeite
1 colher de (sopa) manteiga gelada
1 colher (sobremesa) de sal marinho

Modo de Fazer

Lave muito bem as ramas de cenoura, escorra e corte de forma bem miúda.

Bata do liquidificador as cenouras com a água por um minuto e reserve.

Refoque a cebola e o alho no azeite, adicione as folhas picadas e os cogumelos, refogue mais um minuto.

Junte o arroz, previamente lavado e escorrido, e refogue tudo por mais cinco minutos.

Derrame a água batida com cenoura, previamente aquecida, sobre o refogado de arroz, deixe cozinhar em fogo alto, por dez minutos, com a panela semitampada.

Abaixe o fogo e cozinhe por mais oito minutos ou até o arroz ficar ao dente e não fique seco demais.

Retire do fogo e imediatamente coloque a manteiga gelada, mexendo delicadamente para que tudo se misture bem.

Sirva em seguida.

SALADA DE ERVA-DOCE

1 erva-doce arredondada (é mais saborosa), bem lavada e bem cortada fina
1 dente de alho amassado
1 colher de sopa de suco de limão
1 colher de chá de mel
1 colher de chá de sal
1 colher de páprica doce
1 colher de chá de mostarda
½ xícara de azeite de oliva

Modo de Fazer

Coloque todos os ingredientes do molho em um vidro de tampa de rosca, agite bem até misturar tudo. Se não gostar de morder o alho cru, coe antes de servir.

SALADA DE ARROZ E FEIJÃO AZUKI

Cozinhe uma xícara de arroz integral ou mistura de cereais com uma cebola inteira e descascada na panela.

Cozinhe uma xícara de feijão azuki com um pouco de sal e uma folha de louro.

Coe o feijão e deixe esfriar.

Modo de Fazer

Misture o feijão cozido, o arroz (sem a cebola), um punhado de uvas-passas, amêndoas picadas, salsa e cebolinha finamente cortadas.

Tempere essa mistura com azeite e sal marinho. Ou coloque o azeite e sal por cima de tudo.

ALCACHOFRAS EM ESCABECHE

8 alcachofras
1 limão
1 colher de sopa de óleo
1 cebola em rodela
14 cenouras em tiras
200 g de cogumelos frescos cortados
cheiro-verde picado
½ copo de vinho quente

Modo de Fazer

Corte os talos das alcachofras; retire em volta as folhas pequenas e grossas e o fundo fibroso. Esfregue limão por dentro e por fora da alcachofra. Nivele as pontas das folhas para facilitar a colocação do recheio. Cozinhe em água salgada fervente por meia hora.

Faça o recheio, leve ao fogo o óleo, cebola, cenoura, cogumelos (ou um pouco de toucinho defumado se quiser). Vá colocando os ingredientes nesta ordem e deixe-os fritar um pouco. Baixe o fogo e tampe a panela, até que a cenoura fique cozida. Acrescente o cheiro-verde, retire o recheio do fogo e recheie as alcachofras. Sirva logo a seguir, ainda quente.

SHITAKE NA CHAPA COM MOLHO DE SOJA E GERGELIM

uma porção de shitake
sementes de gergelim
1 colher de sopa de molho de soja
1 colher de sobremesa de manteiga para untar a chapa.

Modo de Fazer

Lave, corte os pés e deixe de molho os cogumelos shitake em um pouco de água. Numa frigideira quente derreta uma pequena porção de manteiga para untar a frigideira. Coloque delicadamente os cogumelos na frigideira e deixe por dois minutos. Vire os cogumelos e deixe por mais alguns minutos até estarem macios. Regue com o molho de soja. Desligue o fogo, coloque em uma travessa, salpique com o gergelim e sirva quente.

FRANGO COM GENGIBRE E MANGA

meio quilo de peito de frango cortado em filés finos (prefira aqueles criados sem hormônios) e duas mangas das grandes.

Modo de Fazer

Faça um socadinho com um dente de alho, uma fatia de 1cm de gengibre, de sal marinho e uma pitada de pimenta branca.

Esfregue os filés de frango com essa pasta de temperos, deixe marinar por uma hora e coloque-os na chapa seca (sem óleo ou manteiga). Deixe dourar.

Na mesma frigideira em que fritou os frangos, frite as fatias grossas de manga e sirva a seguir.

PERAS COZIDAS COM MEL

4 peras
2 colheres de sobremesa de uvas-passas
2 colheres de sobremesa de amêndoas picadas
1 xícara de chá de mel
1 e ½ colher de sopa de groselha.

Modo de Fazer

Lave as peras e descasque, conservando o cabo. Com o auxílio de uma faca tire a tampa da pera e, com uma colher pequena, retire as sementes, deixando uma cavidade central.

Nessa cavidade ponha uma porção de uvas-passas, uma porção de amêndoas e uma colher de chá de mel. Tampe as peras, recolocando a tampa retirada. Coloque em uma assadeira e cubra com papel alumínio. Leve ao forno por cerca de 20 minutos.

Misture o mel restante com a groselha.

Tire as peras do forno e coloque em taças individuais. Cubra com a mistura de mel e groselha e sirva quente. Se preferir, acompanhe com uma bola de sorvete de creme.

CREME DE MAMÃO COM IOGURTE

meio mamão vermelho
1 copo de iogurte
2 colheres de sopa de mel
para decorar, alguns biscoitos de aveia ou granola
2 folhas de hortelã

Modo de Fazer

Descasque e retire as sementes do mamão (prefiro este em vez do papaia, pois é mais saboroso e não foi criado em laboratório)

Coloque no liquidificador com o copo de iogurte, que pode ser desnatado, bata bem, acrescente mel, bata mais um pouco para tudo se misturar.

Coloque numa taça e salpique com granola ou biscoitos de aveia esfarelados e duas folhinhas de hortelã.

Obs.: você pode substituir o mamão por manga, morango, amoras ou franboesas.

MOLHO DE MORANGO

1 caixa de morangos maduros
1 xícara de mel ou 1 e ½ xícara de açúcar mascavo
2 cravos
cascas de maçã

Modo de Fazer

Lave bem os morangos para tirar toda a areia e os agrotóxicos.

Corte fora os cabinhos, mas não jogue fora.

Coloque numa panela os morangos, o mel, o cravo e as cascas da maçã, ricas em pequitina (que dará consistência ao seu molho).

Deixe cozinhar semitampado por dez minutos e está pronto seu molho.

Com os cabinhos do morango, bem lavados, você pode fazer um delicioso chá altamente diurético e com poder de limpeza dos rins e bexiga. Põe um punhado de cabinhos em um litro de água fervente. Abafe por cinco minutos e tome o dia inteiro.

BERINJELA PARA ANTEPASTO

1kg de berinjelas pequenas
1 litro de água
sal
1 xícara cheia (de chá) de vinagre
cheiro-verde picado
10 azeitonas verdes desencaroçadas
1 colher (de sopa) de orégano
3 tomates sem pele nem sementes
2 colheres (de sopa) de farinha de rosca
2 colheres (de sopa) de queijo ralado
10 fatias de mozzarella
½ xícara (de chá) de óleo

Modo de Fazer

1 – Corte as berinjelas no sentido do comprimento e de alguns talhos do miolo. Ferva em água salgada com o vinagre, por dez minutos. Retire, escorra e arrume a assadeira, com a casca para baixo.

2 – Pique as azeitonas e os tomates. Misture aos demais ingredientes, menos o óleo, e espalhe um pouco desse recheio sobre cada berinjela. Por cima, coloque a mozzarella. Regue com azeite

3 – Leve ao forno quente por 15 minutos. Sirva em seguida.

Variação: Espalhe sobre o recheio pedacinhos de anchovas.

ALGAS KOMBU REFOGADAS

2 tiras de algas
1 colher de sopa de óleo de soja
1 colher de sopa de cebola picada
1 colher de sopa de shoyo

Modo de Fazer

Deixe a alga de molho por pelo menos duas horas para que se reidrate e fique macia. Depois corte em fatias.

Refogue a cebola no óleo de soja, junte o shoyu e cozinhe por meio minuto. Junte a alga e deixe cozinhar por mais 15 minutos. Não use sal, pois a alga já é salgada.

(Algas Kombu combatem a deficiência de sais minerais do organismo. Ricas em potássio, ajudam a baixar a pressão arterial provocando a eliminação de sódio do organismo. A clorofila existente em profusão no Kombu abaixa o colesterol e previne o aparecimento da arteriosclerose.)

MOLHO DE CASTANHAS PORTUGUESAS

½ quilo de castanhas portuguesas,
sal,
2 colheres de sopa de manteiga
2 xícaras de champagne
1 colher de sopa de farinha de trigo
100 g de cogumelos frescos e aferventados em água e limão

Modo de Fazer

Dê um corte em torno das castanhas. Leve ao fogo forte em pouca água, por 30 minutos. Escorra, descasque e refogue em duas colheres de manteiga. Junte o champagne, abaixe o fogo e deixe cozinhar até ficarem macias no vapor do champagne. Quando ficar com pouco líquido, polvilhe a colher de farinha, mexa bem e junte os cogumelos.

Esse molho fica delicioso com carne magra de porco, ou com filés de frango.

SORVETE DE PIMENTA-DO-REINO BRANCA

Para 4 pessoas
½ litro de leite
6 gemas de ovos
90 g de açúcar
7 g de pimenta branca inteira
⅛ de litro de creme de leite

Modo de Fazer

Quebrar os grãos de pimenta branca com a ajuda do rolo de confeiteiro ou no socador de temperos. Ferver o leite com um terço da quantidade de açúcar. Enquanto isso, separar as gemas das claras e guardar as claras para outra utilização. Bater energicamente as gemas com o açúcar dentro de uma tigela até que fique levemente branco. Adicionar o leite fervido com a pimenta em pequena quantidade, mexendo rapidamente. Cozinhar o creme inglês apimentado em fogo brando, mexendo com colher de pau. Quando o creme estiver grosso, verificar o ponto de cozimento passando o dedo na colher de pau deixando a limpa (grau de cozimento 90°C). Deixar o creme esfriar e colocar dentro da máquina de fazer sorvete. Antes de servi-lo, deixar fora para que fique macio.

Sirva com figos maduros, gomos de tangerina ou pedaços de pêssegos frescos.

FRITADA DE ABOBRINHA

2 abobrinhas raladas
3 dentes de alho
1 colher de sopa de azeite
4 ovos
1 pires raso de queijo ralado

Modo de Fazer

Rale a abobrinha, menos a semente, e refogue com alho e azeite.

Deixe esfriar e jogue os ovos batidos. Misture tudo, acrescentando queijo ralado a gosto.

Unte com manteiga uma frigideira de teflon, forre a frigideira com farinha de pão torrado.

Jogue os ovos na frigideira e cubra o omelete com mais farinha de pão. Vire quando o ovo estiver cozido. Deixe dourar.

PATÊ DE FÍGADO DE FRANGO

250 g de fígado de frango
150 g de manteiga amolecida sem sal
2 colheres (de sopa) de brandy
sal e pimenta-do-reino moída na hora
25 g de manteiga líquida

Modo de Fazer

Numa frigideira, frite os fígados em cerca de um terço da manteiga até que mude de cor, por cinco minutos. Retire-o e bata no prossesador com o restante da manteiga e o brandy. Junte temperos a gosto. Transfira o patê para quatro tijelinhas refratárias, alise a superfície e cubra com manteiga clarificada. Deixe esfriar e leve à geladeira. Sirva com torradas.

SALADA DE ARROZ INTEGRAL E FEIJÃO AZUKI

Cozinhe o arroz integral com sal e uma cebola inteira, colocando sempre três medidas de água para cada medida de arroz.

Em outra panela, cozinhe o feijão azuki (que ficou de molho por uma noite em água) até estar macio, mas não mole demais.

Espere esfriar. Numa vasilha coloque azeite, sal, gergelim, uvas-passas, nozes, salsinha picada, cebolinha, junte o arroz e o feijão, mexa bem e deixe descansar por pelo menos duas horas antes de servir frio.

ABÓBORA GRATINADA

1 e ½ de abóbora moranga
1 batata
sal
200 g de queijo mineiro
3 colheres de queijo parmesão ralado
5 colheres de sopa de creme de leite
pimenta
noz-moscada
2 colheres de manteiga

Modo de Fazer

Descasque a abóbora e a batada em pouca água com um pouco de sal por cerca de 30 minutos.

Amasse a batata e a abóbora, deixe escorrer sobre uma peneira.

Rale o queijo mineiro e junte o parmesão, misture metade com o creme de leite, tempere com sal, pimenta e noz-moscada.

Unte uma forma e espalhe o purê de abóbora com batata, cubra com o creme de leite e espalhe por cima o restante do queijo ralado, coloque alguns pedaços de manteiga. Leve ao forno bem quente e deixe por cerca de 20 minutos.

QUIBEBE

1 quilo de abóbora
50 g de manteiga
1 pitada de acúcar
1 pitada de sal

Modo de Fazer

Cozinhar a abóbora em cubos, em fogo médio, com água suficiente para cobrir os pedaços. Cozinhar até desmanchar, adicionando então a manteiga e mexendo bem até obter um creme. Adicionar o sal, o açúcar e servir bem quente.

TOFU COM CHAMPIGNON

1 quilo de tofu cortado em cubos
1 xícara de cogumelos secos ou frescos
2 colheres de sopa de shoyu
1 colher de sopa de saquê mirim
2 colheres sopa de cebolinha picada
1 colher de sopa de suco de limão
1 colher de sopa de gengibre ralado
5 xícaras de água

Modo de Fazer

Distribua o tofu cortado em tigelinhas. Leve ao fogo numa panela a água, o cogumelo, o shoyu, o sakê mirim, o suco de limão e o gengibre ralado. Cozinhe por três minutos.

Despeje o caldo nas tigelinhas com o tofu e enfeite com a cebolinha picada.

TOFU GRELHADO

720 g de tofu natural escorrido
1 colher de sopa de óleo
Cobertura:
80 g de missô
1 colher de mirin
1 e ½ colher de açúcar
1 colher de shoyu
1 gema
2 colheres de caldo de carne, ou galinha

Modo de Fazer

Numa panela colocar o missô, o mirin, o açúcar e o caldo, deixe cozinhar no fogo baixo, mexendo constantemente, até o açúcar dissolver. Acrescentar o ovo e misturar bem até engrossar. Deixar de lado.

Corte o tofu em tiras grandes. Aqueça a colher de óleo em fogo brando e coloque delicadamente o tofu, grelhando de todos os lados, até ficar levemente dourado.

Pincele a cobertura do missô por um dos lados e vá dourando.

Para servir, coloque um palito como no churrasquinho por um dos lados.

PLANTAS E ERVAS PARA MELHORAR O SISTEMA LINFÁTICO, MEXENDO COM AS ÁGUAS DE NOSSO CORPO

Alcachofra: estimulante renal, hepático e vesicular

Chá:

Pôr uma colher de sopa de folhas picadas em uma xícara de água em fervura, deixe ferver por cinco minutos. Abafe por dez minutos e coe. Tome uma xícara (chá) duas ou três vezes ao dia antes das principais refeições.

Vinho:

Coloque três colheres de sopa de folhas fatiadas em uma garrafa de vinho branco. Deixe em maceração por cinco dias agitando às vezes. Coe. Tome um cálice antes das prinicpais refeições.

Pata de vaca: diurérico e eliminador de cálculos renais

Chá:

Coloque uma colher de sopa de folhas picadas em uma xícara de água fervente. Abafe por dez minutos, coe e tome de uma a três vezes por dia.

Pera: diurético

Cozinhe a pera descascada em uma panela com água até a metade da pera por dez minutos. Coe e tome a água durante todo o dia. A pera também pode ser comida com um pouco de mel.

Salsa (salsinha)

Coloque uma colher de chá de folhinhas de salsa picadas em uma xícara de água fervente, abafe, coe. Tome uma xícara pela manhã em jejum e outra à tarde.

Melancia: para cistite e dores ao urinar

Coloque uma xícara de cascas de melancia bem lavadas em um litro de água e cozinhe por dez minutos. Deixe amornar e tome durante o dia.

Abacaxi: para digestão

Coma uma ou duas fatias antes das principais refeições.

Milho: elimina o ácido úrico e atenua as dores ao urinar

Coloque duas colheres de cabelo do milho picado em meio litro de água fervente e abafe por dez minutos. Tome à vontade até as 17 horas para não ter que levantar à noite para urinar.

3. Sistema Coronário

SALADA DE AGRIÃO COM NOZES

1 maço de agrião
3 ovos cozidos
1 maçã bem picada
12 nozes
Molho:
2 colheres de sopa de vinagre
1 colher de sopa de mostarda
4 colheres de sopa de azeite
2 cebolas pequenas em rodelas
sal e pimenta-do-reino branca
50 g de queijo branco em cubos
folhas de hortelã

NHOQUES DE BATATA-DOCE

6 batatas-doces grandes
sal
4 gemas
salsa picada
manjericão picado
4 colheres de manteiga
1 pitada de noz-moscada
1 colher de café de pimenta-do-reino branca (opcional)
½ xícara de chá de farinha de trigo para amassar

Modo de Fazer

Descasque as batatas, cozinhe em água e sal, escorra e esprema.

Adicione as gemas, a salsa, o manjericão, duas colheres de manteiga, noz-moscada e a pimenta.

Misture bem e acrescente a farinha de trigo aos poucos. Amasse até ficar uma mistura bem lisa. Faça pequenos rolos com a massa, cozinhe em água fervente com sal por dois minutos, apague o fogo e deixe por mais três minutos na água. Escorra e coloque num prato. Regue com a manteiga restante, dourada, e sirva quente. Variação: Sirva com queijo ralado ou molho de tomates.

BERINJELA AO MOLHO DE LARANJA

2 berinjelas médias
1 colher de sopa de sal
1 xícara de chá de farinha de trigo
1 xícara de chá de óleo
1 dente de alho
pimenta-do-reino branca
4 colheres de sopa de vinagre
suco de 1 laranja
duas colheres de sopa de azeite de oliva
2 folhas de louro
½ colher de café de noz-moscada

Modo de Fazer

Corte a berinjela em fatias, polvilhe o sal e deixe descansar por dez minutos. Escorra e passe pela farinha de trigo, frite o alho em óleo bem quente. Retire e frite no mesmo óleo a berinjela, escorra em papel absorvente e polvilhe com pimenta (opcional).

Misture o vinagre, o suco de laranja, o azeite, o louro, a noz-moscada, leve ao fogo baixo por cinco minutos sem deixar ferver.

Disponha a berinjela frita em uma travessa e regue com o molho quente. Depois de esfriar, leve à geladeira por uma hora e sirva.

BORTSCH (BETERRABA)

2 cenouras
2 alhos-porós
4 cebolas médias
2 cravos-da-índia
4 beterrabas
1 repolho médio
erva-doce
1 maço de cheiro-verde
3 colheres de sopa de massa de tomate
sal
5 pepinos pequenos

Modo de Fazer

Descasque todos os legumes, corte a cenoura em rodelas e os alhos-porós em pedaços, espete uma cebola com os cravos e corte as cebolas restantes em rodelas finas, corte as beterrabas em pedaços pequenos e o repolho e a erva-doce em tiras finas. Coloque para ferver três litros de água, junte todos os legumes, o cheiro-verde amarrado e a massa de tomate. Tempere, tampe e deixe em fogo baixo por duas horas. Acrescente os pepinos em rodelas e cozinhe por mais meia hora. Retire da panela o cheiro-verde e a cebola inteira.

No prato de sopa, coloque uma colher de coalhada e sirva a sopa bem quente por cima. Também pode ser servido gelado como gazpacho.

COUVE

Corte um maço de couve em finas tiras e refogue em um pouco de azeite, alho e sal por três minutos.

ESPINAFRE COM TORRADAS

Cozinhe o espinafre rapidamente, pique bem batidinho e refogue com um pouco de alho, azeite e sal. Misture uma xícara de creme de leite, uma colher de queijo ralado e duas colheres de requeijão de copo.

Passe esse creme nas torradas, polvilhe queijo ralado por cima e doure no forno.

INHAME

½ quilo de inhame
1 xícara de coentro picado
½ xícara de cebolinha picada
1 cebola média
½ pimentão vermelho médio
manjericão o suficiente
sal

Modo de Fazer

Corte todos os temperos bem miúdos, refogue em um pouco de água morna, junte mais água, o sal, as rodelas de inhame. Abafe e cozinhe em fogo brando. Depois de cozido, bata no liquidificador com algumas folhinhas de manjericão e sirva quente.

FOLHA DE BETERRABA

Pique a folha de beterraba bem miúda, passe na manteiga, polvilhe uma pitada de sal e sirva.

Opções: Faça uma omelete usando o refogado de folhas de beterraba, ou recheie uma torta.

TABULE

Deixe uma xícara de trigo sarraceno de molho para hidratar. Reserve.

Corte em pequenos pedaços: dois tomates, um pepino, cebolinha, hortelã, gergelim, cebola.

Tempere com azeite de gergelim, azeite de oliva, limão ou vinagre, sal a gosto.

Escorra o trigo, apertando bem para sair o excesso de água. Misture os outros ingredientes, tempere e sirva.

SOPA DE CEVADA

2 colheres de azeite virgem
2 cebolas raladas
1 cenoura
1 alho-poró
sal
gengibre
2 colheres de sopa de farinha de trigo
1 xícara de chá de farinha de cevada
½ xícara de chá de coalhada
2 gemas
croutons de pão de centeio

Modo de Fazer

Refogue a cebola em metade do azeite, junte a cenoura e o alho-poró em pedaços, tempere com sal e gengibre e acrescente dois litros de água fria. Deixe ferver com a panela destampada por meia hora.

Aqueça o resto do azeite, doure a farinha de trigo até escurecer, retire do fogo, junte farinha de cevada e a coalhada, despeje essa mistura no caldo da sopa. Mexa e cozinhe por mais 20 minutos.

Bata as gemas, ponha no fundo da sopeira, despeje a sopa fervendo por cima e sirva com os croutons. Rende seis porções.

ARROZ INTEGRAL

Escolha e lave duas xícaras de arroz integral.

Numa panela, coloque uma cebola inteira no centro da panela, coloque o arroz lavado e acrescente seis xícaras de caldo de legumes, de carne ou somente água quente. Coloque sal a gosto e deixe cozinhar em fogo baixo, com a panela parcialmente tampada até secar a água. Está pronto. Sirva puro ou com salsinha picada.

Obs.: O arroz integral fica delicioso e tem mais efeito benéfico se, ao cozinhá-lo, você acrescentar um pedaço de alga Kombu.

OMELETE DE ESPINAFRE E SOJA

1 xícara de soja cozida e moída
3 xícaras de espinafre picado
2 ovos
½ cebola picada
2 dentes de alho amassados
azeitonas picadas
sal a gosto

Modo de Fazer

Refogar o espinafre até que fique cozido, misturar com os outros ingredientes. Bata os dois ovos e adicione a mistura de espinafre. Unte uma frigideira com azeite e faça a omelte deixando-a bem macia.

BIFES DE FÍGADO DE BOI ACEBOLADO

½ quilo de fígado de boi
300 g de cebolas cortadas em rodelas
4 dentes de alho
suco de limão
pimenta-do-reino branca
orégano
sal

Modo de Fazer

Temperar os bifes com alho bem esmagado, sal, suco de limão e a pimenta. Deixá-los descansar por duas horas no tempero.

Numa panela de ferro com óleo bem quente, fritar os bifes rapidamente, virando um pouco de cada lado para dourar. Retirar da panela.

Na mesma panela em que foram fritos os bifes, fritar a cebola, acrescentar um pouco de água, sal, pimenta e orégano, fazendo um molho para ser espelhado sobre os bifes.

SOPA DE MARISCOS

½ quilo de mexilhões limpos
1 cebola picada
1 xícara de chá de vinho moscatel
2 colheres de sopa de cheiro-verde
pimenta-do-reino branco
3 colheres de sopa de manteiga
3 dentes de alhos amassados
alho-poró picado
½ quilo de peixe (trilha, cascudo, dourado)
3 batatas grandes picadas
1 folha de louro
5 folhas de alcelga picada
1 xícara de chá de creme de leite fresco batido
sal

Modo de Fazer

Lave os mexilhões e escorra bem. Junte a cebola, vinho, cheiro-verde e pimenta, leve ao fogo e deixe por 15 minutos. Coe o caldo, aqueça a manteiga e doure ligeiramente o alho, o alho-poró e os pedaços de peixe. Junte as batatas, o louro o sal e a pimenta, regue com o caldo de mariscos e três xícaras de chá de água quente. Cozinhe por 40 minutos em fogo baixo. Junte os mariscos e folhas de acelga, deixe ferver por mais dez minutos. Retire do fogo e adicione o creme fresco e mexa rapidamente.

ESCABECHE DE SARDINHAS

8 sardinhas grandes em filés
sal marinho
pimenta-do-reino branca
2 colheres de farinha de trigo
1 cebola grande
200 ml de azeite extra-virgem
3 dentes de alho
2 cenouras grandes picadas
2 colheres de salsa picada
1 folha de louro
1 colher de chá de alecrim
125 ml de vinagre de boa qualidade
90 ml de água

Modo de Fazer

Seque os filés, tempere-os com sal e pimenta e cubra-os levemente com a farinha.

Aqueça metade do azeite em uma frigideira grande e salteie os peixes em fogo médio, por um minuto e meio de cada lado até dourar.

Remova com uma espátula e reserve em um prato raso.

Ponha o resto do azeite na frigideira, o alho, a cebola e as cenouras e salteie em fogo moderado até que fiquem macios, mas não mudem de cor.

Junte a salsa, o louro e o alecrim. Adicione o vinagre permitindo que ele ferva e absorva os sucos do cozimento e então junte a água e deixe ferver por alguns minutos, para que todos os sabores se misturem.

Corrija o tempero. Derrame esse líquido com os vegetais sobre o peixe, cubra-o e deixe marinar por algumas horas.

ATUM DE PANELA

pedaços de atum fresco
suco de um limão
4 tomates firmes
2 cebolas grandes cortadas em pedaços
2 pimentões coloridos cortados em pedaços
1 xícara de azeite extra-virgem
sal
pimenta-do-reino branca

Modo de Fazer:

Ponha metade do azeite no fundo de uma panela grande. Monte em camadas a cebola, o pimentão, os tomates e os pedaços de atum. Tempere com o sal e a pimenta, regue com o restante do azeite, o suco do limão. Tampe a panela e cozinhe em fogo baixo. Esse prato produz o seu próprio líquido e, quando o atum estiver claro e firme, o prato está pronto.

FILÉS DE SALMÃO MISTRAL

3 colheres de azeite extra-virgem
2 cebolas roxas batidas
350 g de tomates sem peles nem sementes
500 g folhas de espinafre novo
sal marinho
pimenta-do-reino branca
4 filés de salmão sem peles nem espinhas
azeite de manjericão
suco de um limão
175 g de azeite extra-virgem
1 dente de alho amassado
2 punhados generosos de folhas de manjericão cortadas muito fininhas

Modo de Fazer

Aqueça uma colher de azeite de oliva numa frigideira e salteie as cebolas roxas em fogo baixo até que fiquem macias e transparentes. Junte os tomates e salteie por mais um minuto. Reserve.

Lave o espinafre, coloque em uma panela grande, tempere com sal e pimenta e cubra. Deixe murchar em fogo médio por mais ou menos três minutos. Reserve.

Aqueça duas colheres do azeite numa frigideira, salteie os filés de salmão em fogo médio por dois a três minutos de cada lado, dependendo da grossura dos filés, não permitindo que fiquem ressecados. Reserve.

Para fazer o óleo de manjericão: tire todo o óleo que está na frigideira, e nela coloque o suco de limão e o azeite, aqueça suavemente para que o azeite absorva o aroma do peixe. Junte o alho e as folhas de manjericão com um pouco de sal e pimenta. Aqueça gentilmente por mais um minuto, permitindo que os sabores se misturem. Para servir, coloque uma porção de espinafre no centro do prato e sobre ela coloque uma colherada da mistura de tomate e cebola, ponha os filés de salmão por cima e regue com o azeite de manjericão.

GAZPACHO

500 g de tomate fresco cortado em pedaços
1 lata de tomate em pedaços
1 pimentão cortado em pedaços
2 colheres de chá de açúcar
¼ de colher de chá de cominho em pó
4 colheres de sopa de vinagre de vinho tinto
2 colheres de azeite de oliva
1 xícara de chá de água fria
2 pepinos sem casca cortados em pedaço
½ cebola pequena cortada ao meio
2 dentes de alho picados
sal
cubinhos de pão frito, tomate, pepino e pimentão verde

Modo de Fazer

Coloque todos os ingredientes no liquidificador (em duas ou mais vezes) e bata até desfazer tudo muito bem. Coe numa tigela, presionando com as costas de uma colher para extrair todo o líquido. Misture o vinagre com o sal, a gosto. Tampe e leve à geladeira por várias horas ou por toda a noite. (O gazpacho ganha sabor se ficar gelando à noite.) Sirva os cubinhos de pão e os legumes em tigelinhas, à parte (4 porções).

SOPA DE ERVILHA

½ quilo de ervilhas verdes secas
50 g de toucinho defumado
1 cebola média
2 batatas médias
3 tabletes de caldo de carne
sal e pimenta
1 colher de sopa de óleo
150 g de linguiça fresca (opcional)

Modo de Fazer

Cozinhe as ervilhas em dois litros de água com os tabletes de caldo, o pedaço de toucinho, a cebola e as batatas descascadas e picadas. Logo que estiverem se desmanchando, retire o toucinho e passe a sopa primeiro pelo liquidificador e depois pela peneira. Esquente em fogo brando, escumando de vez en quando, prove o sal e tempere com a pimenta. Frite a linguiça cortada em rodelas finas no óleo e escorra em papel absorvente. Despeje a sopa numa travessa e complete com a linguiça. Sirva com quadradinhos de pão torrado.

ARROZ DE LENTILHA (M'JADRA)

1 xícara de arroz cru
1 xícara de lentilha (colocadas de molho por 2 horas)
1 cebola grande
sal
3 xícaras de água
2 dentes de alho

Modo de Fazer

Refogue a cebola e o alho no azeite.
Adicione a lentilha e refogue. Adicione o arroz e refogue.
Coloque a água e cozinhe. Sirva com cebolas fritas para enfeitar.

ENVELOPES DE MAÇÃ

4 maçãs
mel
manteiga
lascas de canela
passas, nozes castanhas (o que tiver de frutas secas)
massa folhada pronta

Modo de Fazer

Descasque as maçãs e retire o miolo com as sementes.

Recorte quatro quadrados de massa folhada que dê para embrulhar as maçãs.

Coloque no lugar do miolo da maçã uma colher de mel, as frutas secas esmigalhadas, o pau de canela. Feche a massa folhada em volta das maçãs, pincele com uma gema de ovo e coloque no forno de 15 a 20 minutos.

Sirva puro, ou com iogurte cremoso, ou com as calorias de uma colher de creme chantilli, ou ainda com uma bola de sorvete de creme.

BANANAS COZIDAS COM MELAÇO DE CANA

Cozinhe bananas nanicas por alguns minutos em uma panela com água.

Retire da água, descasque as bananas, coloque nos pratos individuais. Derrame sobre elas o melaço de cana e salpique com nozes.

PANQUECA DE MILHO COM SALMÃO, CAVIAR E AGRIÃO

Panquecas:
1 lata de milhe verde
3 ovos
2 colheres de farinha
1 colher de sal
½ colher de pimenta
250 g de salmão finamente fatiado
100 g de caviar vermelho (ovas)
sal e pimenta a gosto
agrião sem talos
18 pontas de aspargos
gergelim branco e negro, torrado
2 tomates grandes
2 colheres de iogurte
cebolinha picada
vinho branco
azeite a gosto

Modo de Fazer

1. Separar seis fatias perfeitas do salmão e enrole-as cada uma com 1 colher de caviar (ovas). Reservar. 2. Bater no processador o milho cozido, os ovos, a farinha, o sal e a pimenta, até que esteja quase todo um purê. Deve manter alguma rusticidade. Colocar em uma tigela e reservar (pode ser feita com antecedência e colocada na geladeira). 3. Aqueça a frigideira em fogo médio, mantenha-a pouco untada e coloque uma colher e meia da massa (rija) sobre a frigideira. Quando estiver começando a tomar forma, pôr sobre ela o salmão preparado e fechar tudo com outra colher e meia da massa. Faça isso com as seis doses de salmão. 4. Frite as panquecas até ficarem bronzeadas de um lado (+/- 1 minuto e meio) e repita do outro lado, arrumando as bordas para que fiquem igualadas. 5. Servir sobre salada de agrião com aspargos e tomates e cubra generosamente com o molho. A panqueca deve ser coberta com mais uma colher de iogurte e uma colher de caviar e salpicada com cebolinhas.

TARTAR DE ATUM

350 g atum para sashimi
sal e pimenta branca recém-moída
½ xícara Pinoli
4 ovos de codorna crús
8 triângulos finos de pão torrado
3 dentes de alho finamente picado
½ colher de jalapeño
ameixa (ou pera) picada finamente
16 folhas de hortelã estraçalhadas
1 colher de óleo de gergelim
1 colher de azeite

Modo de Fazer

1. Limpe bem o atum. 2. Transforme-o em cubos de 1 cm de lado. 3. Tempero-o com sal e pimenta e coloque-o em uma tigela, e esta tigela sobre um recipiente contendo gelo. 4. Cubra e gele. 5. Aqueça o forno. 6. Torre os pinoli até que fiquem dourados (5 a 8 min.) e deixe esfriar. 7. Pique-os bem pequenos. 8. Abra os ovos de codorna e separe para usar apenas as gemas, colocando-as de volta nas cascas de que só se tirou a ponta.

Servir

9. Molde de 5 centímetros de diâmetro no centro do prato. 10. Encha o molde com a quarta parte do atum e pressione levemente com as costas da colher. 11. Misture à parte o alho e o jalapeño. 12. Arrume em volta do molde de atum um quarto dos pinoli, um quarto da mistura de alho e jalapeño, e um quarto das frutas. 13. Coloque a gema de ovo gentilmente no centro do molde, que deve ter sido afundado o suficiente para isso. 14. Arrume dois triângulos de pão no prato. 15. Regue levemente com o óleo de gergelim e o azeite. 16. Enfeite com folhas de hortelã.

TUNA TERRINE

500 g de atum em fatias finíssimas
½ xícara azeite de oliva
4 colheres manteiga
2 cebolas grandes refogadas
pimentões vermelhos e amarelos (1 de cada)
folhas de uva escaldadas
sal e pimenta branca recém-moída
1 colher de basílico
1 colher de alecrim
1 colher de hortelã
2 tomates grandes limpos em cubos
1 dente alho grande
1 anis-estrelado em pó
2 colheres de limão siciliano

Modo de Fazer

1. Tempere o atum com o sal e a pimenta, 2. Passe-o rapidamente na grelha, apenas para perder a cor. Reserve. 3. Prepare uma forma inglesa forrada com plástico e unte com azeite. 4. Comece a montar a terrine: forre-a com as folhas de uva, deixando que sobre para fechar. 5. Arrume no fundo algumas fatias de atum, depois o pimentão, as cebolas e os tomates. Repita as camadas, regando discretamente com o limão e salpicando com a mistura de basilico, alecrim, hortelã, alho e anis-estrelado a cada camada. 6. Ao terminar, feche tudo com os pedaços de folha que ficaram para fora. 7. Pincele com azeite e feche o plástico. 8. Coloque um peso por cima e leve para gelar. 9. Para servir, desenforme cuidadosamente e fatie, colocando sobre folhas de alface variadas. 10. Regue carinhosamente com o azeite e o limão.

CHÁS

Para problemas do sistema coronário

Limão

Ativa a circulação e ajuda a eliminar microvarizes.

Uma colher de sobremesa da parte branca e uma colher de sobremesa da casca de limão fatiadas em uma xícara de água fervente. Deixe ferver por três minutos. Coe e espere esfriar. Tome uma xícara de chá três vezes ao dia.

Alho

Pressão alta, dilatador de artérias e formigamento de mãos e pés.

Amasse um dente de alho, coloque em meio copo de água e deixe descansar durante toda a noite. Tome em jejum pela manhã ao levantar.

Ativadores da circulação

Pimentão, arruda

Coloque uma colher de sopa de pimentão ou de folhas de arruda em uma xícara de água fervente. Abafe por dez minutos, coe e beba uma xícara em jejum pela manhã e outra à noite.

Hipertensão arterial

Maracujá (folhas), pitanga, sete-sangrias

Coloque uma colher de sopa das folhas de maracujá, pitanga ou de sete-sangrias em uma xícara de água fervente. Abafe por dez minutos, coe e beba uma xícara de uma a três vezes por dia.

Pera

Cozinhe a pera em meio litro de água com um pau de canela e um pouco de mel. Tome a água e coma a pera como sobremesa das refeições.

4. Sistema Respiratório

CREME DE ABÓBORA

2 tabletes de caldo de carne ou legumes
1 quilo de abóbora
1 tomate
cheiro-verde
1 colher de sopa de manteiga
2 colheres de queijo ralado

Modo de Fazer

Dissolva dois tabletes de caldo de carne ou legumes em dois litros e meio de água. Junte o tomate e o cheiro-verde e deixe no fogo até levantar fervura.

Descasque a abóbora e corte em pedaços não muito grandes e cozinhe por uma hora no caldo. Bata no liquidificador, acrescentando a manteiga e o queijo ralado. Sirva com croutons.

SALADA DE AGRIÃO E FRUTAS

1 manga, bem firme
½ abacaxi
pedaços de tofu
aspargos
azeitonas pretas
2 pepinos cortados com casca
2 maçãs-verdes
1 erva-doce ou alho-poró cortado em rodelas
300 g de carne de rã desfiada (opcional)

molho para tempero:

azeite, folhas de hortelã, pimenta branca, sal, limão com mostarda.

ASPARGO

1 maço de aspargos
sal
iogurte e hortelã

Dê uma fervura nos aspargos até ficarem macios.

Deixe esfriar e faça um molho de iogurte, folhas de hortelã picado, sal, azeite extra-virgem. Derrame em cima dos aspargos e sirva frio.

SUCO DE BETERRABA E TANGERINA

Bata no liquidificador duas tangerinas grandes, uma beterraba lavada e escovada, um copo de água mineral. Coe e acrescente açúcar mascavo ou mel.

FOLHA DE MOSTARDA

Pique em finas tiras, refogue em alho e óleo e sirva como acompanhamento.

CONSERVA DE PEPINO

Corte os pepinos em rodelas finíssimas e deixe dormir de um dia para o outro no gelo.

No dia seguinte, ferva um litro de vinagre de maçã, acrescente duas colheres de açúcar, pimenta da jamaica, gengibre, sal, pimenta-do-reino.

Escorra o pepino que deverá estar cozido, no próprio gelo. Coloque num vidro e cubra com o vinagre fervido. Tampe e utilize para acompanhar saladas e fazer sanduíches.

QUIBE DE BANDEJA

1 ovo
2 xícaras de carne de soja miúda
2 xícaras de triguilho (trigo sarraceno)
salsa picada
hortelã picada
sal
azeite
farinha de trigo

Modo de Fazer

Deixe de molho a carne de soja e o trigo até reidratarem. Retire a água secando bem, espremendo com as mãos. Coloque numa vasilha e vá adicionando os outros ingredientes, colocando duas a três colheres de farinha de trigo integral. Amasse bem com as mãos até dar liga. Por último, coloque um terço de xícara de azeite.

Unte uma forma refratária com azeite e espalhe a massa trabalhada, comprimindo-a bem. Faça riscos profundos com a faca para abri-la um pouco; jogue azeite e leve ao forno até dourar a camada superior.

SOPA DE AVEIA

3 tabletes de caldo de legumes dissolvidos em 3 litros de água
3 tomates
folhas de couve
6 grãos de pimenta-do-reino-branca
1 cenoura
1 xícara de chá de aveia
1 colher de manteiga
3 ovos de pata ou codorna (opcional)

Corte os tomates ao meio, amarre bem os cheiros-verdes, corte a cebola em quatro, pique a cenoura. Coloque tudo em uma panela com o caldo e a pimenta. Leve ao fogo baixo até o caldo se reduzir a um litro. Coe. Leve o caldo coado ao fogo, adicione a aveia e a manteiga. Misture bem e deixe por dez minutos. Adicione folhas de couve rasgadas.

Nas taças próprias para consumê, quebre um ovo em cada taça e derrame a sopa fervente por cima.

RÃ A PROVENÇAL

1 quilo de rã
1 xícara de chá de vinagre
200 g de cogumelos frescos
2 colheres de sopa de manteiga
6 colheres de sopa de azeite de oliva
2 cebolas raladas
3 dentes de alho amassados
100 g de bacon picado
5 tomates sem pele nem semente
sal
pimenta-do-reino
1 xícara de caldo de carne
1 xícara de chá de vinho branco seco
1 xícara de chá de farinha de trigo
2 colheres de chá de salsa picada

Modo de Fazer

1- Limpe a rã, corte-a e coloque em uma tigela com vinagre e igual quantidade de água; cubra e deixe descansar por uma hora.

2- Limpe e lave os cogumelos, corte em lâminas.

3- Aqueça uma colher de manteiga e uma de azeite, junte os cogumelos e mexa até dourar.

4- Aqueça três colheres de azeite, junte a cebola, alho e bacon; frite até dourar mexendo sempre. Adicione o tomate, até desmanchar, regue com o caldo de carne e o vinho. Tempere com sal e pimenta, tampe e cozinhe por 15 minutos.

5- Escorra a rã, tempere com sal e pimenta e passe na farinha.

6- Aqueça a manteiga e o azeite restante; junte a rã e cozinhe em fogo forte, não deixando grudar.

7- Junte a salsa picada, acrescente o cogumelo e deixe dourar.
Ponha o molho no prato e coloque os pedaços de rã.

MOUSSE DE MANGA

4 claras em neve
1 copo de iogurte natural
2 mangas médias
um envelope de gelatina sem sabor
mel

Modo de Fazer

Bata as mangas no liquidificador, o iogurte e o mel.

Dissolva a gelatina em meia xícara de água fervente, acrescente a mistura de manga e iogurte. Bata, despeje numa vasilhe e reserve.

Numa travessa, bata as claras em ponto de neve firme e delicadamente vá misturando as claras ao creme de manga. Ponha na geladeira por duas horas.

TAÇA DE TANGERINAS

Descasque as tangerinas e retire todos os fiapos. Coloque em uma taça.

Bata as claras em neve, rale um pouco de cascas de limão, adicione açúcar e coloque sobre os gomos de tangerina.

BANANAS FRITAS COM COCO

Cortar bananas ao meio pelo comprimento e fritar em frigideira antiaderente, sem deixar queimar. Retirar, colocar num pirex e cobrir com coco ralado, castanhas-do-pará moídas e regar com mel.

PUDIM DE CAQUI

1 xícara de polpa de caqui
¼ de xícara de açúcar mascavo
1 xícara de leite de soja
½ xícara de farinha de trigo integral
¾ de farinha de trigo branca
1 pitada de sal
1 colher de chá de essência de baunilha
1 xícara de nozes picadas
½ xícara de uva-passa sem sementes
½ xícara de tâmaras picadas

Modo de Fazer

Misturar a polpa do caqui com o açúcar. Acrescentar as farinhas, a essência alternadamente com o leite (pode-se usar um pouco de canela em pó), misturar as nozes, passas e tâmaras. Colocar numa forma e assar em banho-maria por uma hora e meia.

ANEL DE CENOURAS

2 xícaras de cenouras cozidas e cortadas em quadradinhos
1 colher de cebola ralada
3 ovos bem batidos
1 xícara de leite
sal a gosto

Modo de Fazer

Misturar os ingredientes, despejar numa forma de anel untada e levar ao forno moderado por 40 minutos. Desenformar e servir.

SOPA DE TAIOBA

2 colheres de manteiga
azeite
sal
1 xícara de aveia ou fubá
folhas de taioba
água

Modo de preparo

Derreta duas colheres de manteiga com um fio de azeite, refogue a cebola e doure o fubá ou a aveia. Tempere com sal, uma pitada de pimenta-do-reino. Coloque dois litros de água e cozinhe. Quando o fubá estiver cozido, rasgue as folhas de taioba, jogue na panela, desligue o fogo e abafe por uns dez minutos.

Acerte o sal e sirva com um fio de azeite no prato.

MACARRÃO COM BRÓCOLIS

alho
azeite
sal
pimenta
brócolis
macarrão

Modo de Fazer

Coloque o macarrão para cozinhar em água e sal.

No vapor cozinhe as flores dos brócolis até ficarem tenras, mas ao dente. Numa frigideira refogue o alho com azeite e sal, passe os brócolis escorridos e junte o macarrão. Misture tudo e sirva com um fio de azeite e queijo parmesão.

FIGOS FRITOS COM SORVETE

Para a massa do figo

1 ovo
1 copo de farinha de trigo
1 copo de leite
1 colher de sopa rasa de açúcar

Modo de Fazer

Bata tudo no liquidificador.

Lave os figos, tire a parte de baixo do figo e descasque sem o desmanchar, mantendo o cabinho. Mergulhe os figos na massa e frite em óleo bem quente por alguns segundos, até ficarem dourados.

Sirva ainda quente com sorvete de sua preferência.

ERVILHAS COM OVOS DE CODORNA

alecrim
manjerona
1 lata de ervilhas
8 ovos de codorna
sal
pimenta-do-reino branca
alecrim e manjerona

Modo de Fazer

Em ramequins (tigelinhas individuais de porcelana), coloque um fio de azeite no fundo, espalhe uma porção de ervilhas no fundo, quebre cuidadosamente dois ovos de codorna em cada uma. Coloque umas folhinhas de alecrim e manjerona, tempere com sal e coloque por cima uma pequena colher de manteiga.

Leve ao forno em banho-maria até o ovo ficar assado (de 10 a 15 minutos).

Sirva com pedaços de pão italiano ou torradas.

GRÃO-DE-BICO

2 xícaras de grão-de-bico cozido
2 ovos cozidos
palmito
tomate
azeitonas
folhas de alface
cebola
temperos verdes
óleo
sal
limão

Modo de Fazer

Juntar ao grão-de-bico já frio, a cebola, os temperos verdes, azeitonas, tudo picado e temperar com óleo, limão e sal. Servir em prato forrado de alface e enfeitado com rodelas de tomate, ovos cozidos e palmitos.

TOMATES RECHEADOS COM TOFU

AZEITONAS E HORTELÃ
queijo tofu
azeitonas sem caroço
sal
azeite
folhas de hortelã
tomates inteiros sem sementes

Modo de Fazer

Bata o queijo tofu, com sal, limão, as azeitonas picadas, as folhas de hortelã, com azeite.

Recheie os tomates e sirva enfeitados por folhinhas de hortelã.

TORTA DE MAÇÃ

4 maçãs descascadas e cortadas em fatias finas de molho em água com suco de limão para não escurecer
uvas-passas
mel
manteiga
açúcar
creme de leite
uma porção de massa para tortas doces, ou massa folhada pronta

Modo de Fazer

Em uma frigideira derreter o açúcar até ficar dourado, acrescente a manteiga e o creme de leite e deixe dissolver o caramelo.

Em uma forma untada arrume as maçãs escorridas, salpique as uvas-passas, derrame o caramelo sobre as maçãs. Abra a massa folhada e coloque por cima das maçãs com o caramelo.

Pincele com uma gema e polvilhe com açúcar cristal.

Leve ao forno quente até a massa ficar dourada. Para servir, vire a torta num pirex deixando a massa por baixo. Sirva com sorvete de creme.

SOPA DE LENTILHA

1 xícara de lentilhas
2 cenouras picadas
2 xícaras de cebola picada
4 colheres de sopa de farinha de trigo
3 colheres de óleo
água
sal

Modo de Fazer

Lave as lentilhas e cozinhe em água fervente. Acrescente as cenouras e, depois que tudo estiver macio, passe pelo liquidificador. Doure as cebolas até ficarem marrons escuras, acrescente a farinha mexendo para que se desmanche. Umedecer com um pouco da sopa, deixar ferver. Colocar dentro da sopa e deixar cozinhar lentamente por algum tempo temperando a gosto.

PÊSSEGOS AO FORNO COM CEREJAS

pêssegos cortados sem caroço
cerejas ao maraschino
gengibre ralado
açúcar

Modo de Fazer

Prepare uma calda grossa de açúcar e gengibre ralados.

Arrume os pêssegos em tigelinhas individuais, coloque as cerejas para enfeitar e derrame a calda sobre os pêssegos. Leve ao forno apenas para dourar e sirva acompanhado de sorvete ou creme de leite.

PIMENTÃO RECHEADO

arroz cozido
castanhas picadas
tomates
cebola
alho
cheiro-verde
1 ovo
sal
pimenta
pimentões esvaziados e limpos
2 xícaras de molho de tomate

Modo de Fazer

Preparar o recheio com o arroz, as castanhas, os tomates, a cebola, o alho, o cheiro-verde, o ovo, o sal e a pimenta.

Esfregar os pimentões já limpos, com uma pitada de sal, recheá-los enchendo bem, colocando em forma refratária com o molho de tomate. Assar em forno quente por meia hora.

CHÁS

Para dificuldades do Sistema Respiratório

Garganta – infecções, laringites, faringites

Romã ou rúcula

Coloque uma colher de sopa da casca da romã ou das folhas da rúcula em uma xícara de água fervente. Abafe por dez minutos, coe e faça gargarejos.

Tosse

Abacaxi

Soque em um pilão duas fatias de abacaxi cortado, acrescente uma xícara de água, uma colher de sopa de mel e dez gotas de própolis.

Tome uma colher de sopa três vezes ao dia.

Xarope de guaco para tosses

Corte um punhado de folhas de guaco (mais ou menos duas xícaras de chá) e coloque em água fervente por dez minutos. Coe e leve ao fogo novamente acrescentando um pau de canela, seis cravos-da-índia e uma xícara de açúcar cristal. Deixe ferver até reduzir à metade. Acrescente uma xícara de mel, uma colher de sopa de gengibre ralado e coloque em um vidro limpo e bem fechado. Tome três vezes ao dia.

Para fumantes

Tanchagem – para limpar as vias aéreas dos fumantes.

Coloque uma colher de sopa das folhas de tanchagem em uma xícara de água fervente. Abafe por dez minutos, coe espere amornar e faça gargarejos de duas a três vezes ao dia.

5. Sistema Digestório

ACELGA FRITA

1 maço de acelga
1 ovo
farinha de rosca integral ou farinha de trigo integral grossa
sal marinho
óleo de soja

Corte os talos de acelga (parte branca), lave bem e passe pela água fervente. Passe cada talo no ovo batido e a seguir na farinha de rosca. Frite em óleo bem quente, coloque em papel absorvente para tirar o excesso de gordura.

TROUXINHAS DE REPOLHO

1 repolho médio
1 xícara de arroz integral
300 g de carne vegetal ou carne moída
molho de tomate

Modo de Fazer

Ferva o repolho em uma panela com água o suficiente para cobri-lo. Vá retirando as folhas maiores à medida que forem amolecendo.

Numa vasilha, prepare o recheio com o arroz, a carne e temperos a gosto.

Coloque o recheio na folha de repolho, feche como se fosse uma trouxinha e prenda com um palito.

Na panela do molho, vá colocando cada uma das trouxinhas arrumadas para não se desmanchar e deixe cozinhar em fogo brando por alguns minutos.

TEMPURÁ

folhas de acelga
rodelas finas de batata-doce
repolho
folhas de cenoura
erva-doce

Massa

1 ovo
1 e ¼ de xícara de água gelada
1 e ⅔ de farinha de trigo
sal
gengibre em pó
óleo para fritar

Modo de Fazer

Numa travessa, misture o ovo e a água gelada; peneire a farinha e misture ao ovo e à água gelada. Acrescente sal, gengibre em pó e misture levemente.

Numa panela funda, aqueça o óleo em temperatura alta de 170ºC.

Lave bem as folhas e os legumes; passe levemente e rapidamente pela massa e jogue no óleo quente. Espere dourar levemente e ponha para escorrer em papel absorvente.

FÍGADO COM BATATAS À SEVILHANA

1 quilo de fígado de boa procedência
3 a 4 cebolas grandes cortadas em rodelas
4 colheres de sopa de azeite
1 dente de alho esmagado
1 folha de louro
1 colher de vinagre branco da melhor qualidade
1 quilo de batatas novas
sal e pimenta branca a gosto

Modo de Fazer.

Numa panela coloque o azeite, aqueça e coloque as rodelas de cebola até dourar, retire a cebola.

Coloque na panela o alho esmagado, a folha de louro e frite os pedaços de fígado até que fiquem macios. Adicione o vinagre, as batatas cozidas e tampe por alguns minutos.

Numa travessa coloque as cebolas douradas, o fígado com batatas por cima e sirva com arroz branco ou integral.

SALADA DE BROTO DE BAMBU

Escalde em água fervente e sirva com molho de shoyu e gengibre ralado e uma colher de farinha de trigo.

PURÊ DE CASTANHA PORTUGUESA

1 quilo de castanhas portuguesas
açúcar
uma pitada de sal

Modo de Fazer

Lave as castanhas, dê um talho profundo em cada uma delas e coloque na panela de pressão com água o suficiente para cobrir. Coloque uma colher de sopa de açúcar e uma pitada de sal e deixe cozinhando por 20 minutos depois de levantar fervura.

Descasque as castanhas cozidas, esprema e acrescente uma colher de manteiga e acerte o tempero.

RISOTO DE RAMAS DE CENOURA

ramas de três cenouras
2 cenouras médias
2 xícaras de chá de arroz branco
5 xícaras de chá de água
1 xícara de chá de champignons frescos cortados em fatias finas
1 cebola pequena picada
3 dentes de alho amassados
2 colheres de azeite
1 colher de sopa de manteiga gelada
2 colheres de sopa de queijo parmesão ralado
1 colher de sobremesa rasa de sal

Modo de Fazer

Lave as ramas de cenoura, corte bem miúdo, reserve.

Bata no liquidificador com a água e por um minuto a cenoura picada e reserve.

Refogue a cebola e o alho no azeite, adicione as folhas e os champignons, e refogue mais um minuto.

Junte o arroz previamente lavado e escorrido e refogue tudo por mais ou menos cinco minutos.

Derrame o caldo de cenoura sobre o refogado de arroz e deixe cozinhar em fogo alto por dez minutos na panela sem tampar. Em seguida abaixe o fogo e cozinhe por mais oito minutos. É importante que o arroz não fique seco demais.

Retire do fogo e, imediatamente, coloque a manteiga gelada e o parmesão, mexendo delicadamente para que tudo se misture bem.

FEIJÃO AZUKI REFOGADO

200 g de feijão azuki refogado
1 dente de alho picado
1 colher de sopa de óleo de soja natural
sal marinho.

Escolha e lave os feijões, coloque numa panela com água e deixe ferver até que cozinhe.

Prepare à parte um refogado com óleo de soja, alho; quando estiver dourando, acrescente o feijão e salgue a gosto, deixe cozinhar por mais alguns minutos e sirva.

CROQUETE DE MILHO VERDE

2 colheres de sopa de manteiga
1 cebola ralada
2 tomates sem pele nem sementes
1 lata de milho verde
1 maço de cheiro-verde picado
1 folha de louro
4 colheres de sopa de farinha de trigo
2 ½ copos de leite de soja frio
1 gema
sal
pimenta-do-reino
2 ovos
1 xícara de chá de farinha de rosca
1 xícara de chá de óleo para fritar

Modo de Fazer

1- Aqueça a manteiga e refogue a cebola, doure e junte os tomates picados.

2- Bata o milho verde no liquidificador, junte ao refogado e mexa bem. Acrescente o louro e o cheiro-verde; deixe no fogo por cerca de dez minutos. Junte a farinha de trigo dissolvida no leite e deixe no fogo médio até que a massa engrosse. Retire o louro, junte a gema e tempere com sal e pimenta, mexendo até que a massa se desprenda do fundo da panela. Deixe esfriar.

3- Enrole os croquetes e passe pelos ovos batidos e pela farinha de rosca duas vezes. Frite no óleo quente e escorra em papel absorvente.

QUIABO COM TOMATES

½ quilo de quiabo
1 colher de sopa de vinagre
½ xícara de chá de azeite
2 cebolas raladas
3 dentes de alho amassados
6 tomates sem pele nem sementes picados
sal
pimenta branca
2 colheres de cheiro-verde picado

Modo de Fazer

Na véspera, deixe o quiabo de molho em água fria.

Na hora de preparar, escorra a água, corte as pontas e ponha em água fervente com sal e vinagre. Cozinhe por dez minutos.

Aqueça o azeite, junte a cebola e deixe murchar. Adicione o alho, tomate, sal e pimenta.

Escorra o quiabo e ponha no molho do tomate. Deixe por mais 20 minutos em fogo baixo, com a panela tampada, até terminar o cozimento. Polvilhe com cheiro-verde e sirva.

SUFLÊ DE MILHO VERDE

3 espigas grandes de milho verde
3 xícaras de chá de leite
3 colheres de sopa de manteiga
1 colher de chá de amido de milho
sal
pimenta
2 gemas
2 claras batidas em neve firme

Modo de Fazer

Retire os grãos do milho verde cozido

Bata no liquidificador, juntando o leite. Coloque a manteiga em uma panela e deixe dourar. Em seguida, despeje o leite batido com o milho, o amido de milho, sal, pimenta e as gemas. Deixe no fogo até engrossar, sem parar de mexer, por cerca de dez minutos.

Retire o creme do fogo. Junte as claras em neve e misture levemente. Despeje em uma forma refratária e leve ao forno quente por mais ou menos 20 minutos. Retire e sirva imediatamente.

MAIONESE DE ABACATE

½ abacate grande
1 dente de alho socado
½ limão pequeno
sal a gosto
água (o suficiente)
azeite de oliva (o suficiente)

Bata no liquidificador o abacate com um pouco de água e, em seguida, junte o sal, o azeite e o limão. Bata mais um pouco e a maionese estará pronta.

MARISCO COM PESTO

2 quilos de mariscos na concha, limpos
½ xícara de vinho branco seco

Pesto:

60 g de folhas de manjericão
2 dentes de alho
30 g de queijo parmesão ralado
4 colheres de sopa de azeite
30 g de farinha de rosca

Modo de Fazer

Pré-aqueça o forno a 200ºC.

Coloque os mariscos e o vinho em uma panela grande, tampe e cozinhe em fogo alto, agitando sempre por cinco minutos, até que as conchas se abram. Jogue fora as que permaneceram fechadas e as meias conchas vazias. Reserve os mariscos.

Para fazer o molho pesto coloque o manjericão, o alho, as castanhas, sal, pimenta-do-reino em um pilão e esmague até misturar bem. Misture o queijo e então vá adicionando o azeite aos poucos, até adquirir consistência cremosa.

Arrume os mariscos em suas meias conchas em um prato, espalhe pesto sobre cada um deles, polvilhe com farinha de rosca e leve ao forno pré-aquecido por dez minutos. Sirva imediatamente.

CREME DE BANANA

2 colheres de sopa de farinha de trigo
1 ½ xícara (de chá) de açúcar mascavo
4 ovos
2 xícaras de leite quente misturado com uma colher de essência de baunilha
2 colheres de sopa de manteiga
6 bananas
suco de um limão
7 colheres de sopa de creme de leite

Modo de Fazer

Misture a farinha de trigo com uma xícara de açúcar, um ovo e três gemas. Mexa bem, junte o leite quente aos poucos. Leve a mistura ao fogo baixo e deixe por dez minutos, mexendo sempre. Adicione metade da manteiga e deixe esfriar.

Bata as cinco bananas no liquidificador, junto com o suco de limão. Junte o restante da manteiga e leve ao fogo baixo por cinco minutos. Mexa bem. Acrescente o creme de leite e o creme de gemas anterior. Deixe por mais três minutos no fogo. Retire e deixe esfriar. Aos poucos e sem bater, acrescente as claras batidas em neve com o açúcar restante. Coloque em forma trasparente, leve à geladeira por duas horas.

BATATAS À CAÇADORA

1 colher de sopa de manteiga
1 cebola grande em rodelas
2 alhos-porós em rodelas
50 g de toucinho defumado
5 batatas médias
1 e ½ xícara de caldo de carne
1 colher de chá de sal
½ colher de chá de pimenta-do-reino
2 colheres de sopa de creme de leite
1 galho de salsa

Modo de Fazer

Doure a cebola na manteiga, junte o alho e deixe fritar um pouco, mas não deixe que tome cor. Acrescente o toucinho e deixe derreter. Coloque as batatas, o caldo de carne, o sal e a pimenta. Tampe a panela e conserve em fogo baixo por 25 minutos, aproximadamente. Quando estiver cozido, acrescente o creme de leite, misture bem e retire. Ponha numa tigela e salpique com salsa bem picada. Sirva a seguir.

DOCE DE BATATA-DOCE

1 e ½ quilo de batata-doce
750 g de açúcar
1 vidro de leite de coco
2 pacotinhos de gelatina sem sabor, vermelha

Modo de Fazer

Cozinhe a batata-doce na água e moa num processador. Dissolva a gelatina em duas colheres de água quente, junte os outros ingredientes e leve tudo ao fogo até dar ponto (desprender da panela). Coloque numa assadeira e leve à geladeira por duas horas, corte em cubinhos e sirva gelado.

BIFES DE FILÉ

4 bifes de bom tamanho
acelga fatiada
cebola
broto de bambu
gengibre
gergelim

Modo de Fazer

Tempere os bifes com sal e pimenta; grelhe na frigideira seca até estarem no ponto que você gosta. Retire. Com a frigideira ainda no fogo, acrescente um copo de água e com a ajuda de uma espátula raspe o fundo da frigideira e faça um molho. Coloque cebolas cortadas em rodelas, acelga cortada bem fininha, broto de bambu. Rale um pouco de gengibre e salpique sementes de gerlelim. Regue os bifes com o molho e os vegetais cozidos ao dente e sirva com arroz branco.

COUVE

Refogue a couve cortadinha em finas tiras em um pouco de azeite e alho. Além de acompanhar vários pratos, protege o estômago e alivia a acidez estomacal.

SOPA DE COUVE

2 colheres de sopa de manteiga
2 xícaras de fubá
1 litro de caldo de carne ou 2 tabletes dissolvidos em um litro de água
sal
pimenta-do-reino
folhas de couve

Modo de Fazer

Doure a manteiga em uma panela até ficar levemente tostada, acrescente o fubá e deixe que ele tome a cor da manteiga. Junte o caldo de carne e deixe cozinhar por uns 20 minutos. Acerte os temperos com o sal e a pimenta, rasgue as folhas de couve e jogue na sopa. Desligue o fogo e sirva a seguir.

CHÁS

Para aliviar problemas digestivos e hepáticos

Boldo-do-chile

Para problemas do fígado e pedras na visícula biliar, coloque três colheres de sopa de folhas de boldo picadas em uma garrafa de vinho branco. Deixe em maceração por cinco dias, agitando o líquido de vez em quando. Coe. Tome um cálice antes de cada refeição. Para eliminar o álcool do preparado, coloque a dose do cálice no sol para evaporar o alcool.

Coentro

Atonia gastronitestinal, dificuldade de digestão.

Coloque uma colher de sobremesa de folhas e frutos-sementes secos, adicione água fervente. Abafe por dez minutos e coe. Tome uma xícara 30 minutos antes das refeições.

Couve

Queimação no estômago, gastrite.

Bata no liquidificador ou centrífuga três folhas de couve, com os talos, com um copo de água ou o suco de uma laranja-lima. Coe e tome em jejum por cinco dias seguidos. Espere uns 30 minutos para depois tomar seu desejum.

Espinheira-santa

Para má digestão e intoxicação alimentar.

Chá de folhas de espinheira com uma colher de sopa de folhas. Derrame uma xícara de água fervente, espere amornar e tome uma xícara antes das principais refeições. Mesmo os comprimidos de espinheira-santa são excelentes para desintoxicar e ajudar na digestão.

Funcho ou erva-doce

Para gases, dores de cabeca de origem digestiva.

As bases das folhas podem ser comidas em salada com algumas gotas de limão. Para o chá, utilize os frutos ou as sementinhas adicionando em uma xícara de chá de água fervente, uma colher de sobremesa das sementes da erva-doce.

Gengibre

Para cólicas intestinais, gases e como estimulante da digestão.

Coloque uma colher de sobremesa do gengibre fatiado em uma xícara de água fervente, abafe por cinco minutos, coe e tome antes das principais refeições.

Louro

Distúrbios da digestão

Coloque uma colher de sobremesa de folhas de louro fatiadas em uma xícara de água fervente, abafe por dez minutos, coe e tome antes das principais refeições.

6. Sistema Reprodutor

AIPO

Refogue o aipo com azeite e alho para acompanhar qualquer prato.

BERINJELA (BABAGANOUJ)

Coloque no forno três berinjelas inteiras, sem marcas ou furos na casca.

Deixe assarem até que a casca se rompa.

Retire do forno, remova com o auxílio de um garfo toda a polpa e amasse bem. Esmague três dentes de alho, coloque azeite o suficiente, sal, pimenta-do-reino branca e temperos verdes a gosto. Misturar com a berinjela assada e amassada no garfo e sirva com pão árabe.

COGUMELOS

Shitake

Refogue os cogumelos shitake com azeite, alho e coentro.

RISOTO DE COGUMELOS SHITAKE

1 e ½ xícara de arroz tipo arbório
1 xícara de cogumelos shitake picados em lâminas sem o caule
½ xícara de funghi porcini lavado e picado
1 litro de caldo de legumes
2 colheres de sopa de cebola picada
1 dente de alho picado
2 colheres de sopa de azeite de oliva
2 colheres de sopa de parmesão ralado
2 colheres de sopa de salsa picada
sal a gosto

Modo de Fazer

Em uma panela antiaderente grande, coloque uma colher de azeite e a cebola para fritar. Junte o arroz e mexa bem com uma colher de pau. Tempere com sal. Acrescente aos poucos um caldo de legumes e continue mexendo para que o arroz cozinhe por igual.

Em outra panela, coloque uma colher de azeite, o alho e deixe dourar. Em seguida, adicione o shitake e o funghi e deixe refogar. Tempere com o sal e a pimenta. Junte o refogado de cogumelos ao risoto e misture bem. O caldo do risoto não deve secar completamente.

Por último, coloque o queijo e mexa vigorosamente. Polvilhe com salsa e sirva bem quente.

NHOQUE DE CARÁ

1 quilo de cará cozido e espremido
2 colheres de sopa de manteiga
sal
cheiro-verde a gosto
½ xícara de farinha de trigo, mais ou menos

Modo de Fazer

Cozinhe o cará e esprema, junte a manteiga, o cheiro-verde, o sal e vá acrescentando a farinha de trigo aos poucos até ficar uma massa lisa e uniforme.

Faça cobrinhas, corte em pequenos pedaços e jogue na água fervente com sal. Quando subir, o nhoque estará cozido. Sirva com molho de tomates, ou com molho de manteiga e ervas.

RABANETE

1 xícara de maionese
1 xícara de rabanete picado fino
¼ de xícara de creme de leite azedo
sal a gosto
fatias finas de rabanete para enfeitar

Modo de Fazer

Misture com uma colher os ingredientes.

Espalhe a mistura sobre pão de centeio enfeitando com as fatias finas.

CURRY DE GRÃO-DE-BICO

500 g de grão-de-bico
Para o molho:
2 quilos de tomates, com pele e sementes
3 cebolas cortadas em 4
4 dentes de alho
1 xícara de água
2 colheres de azeite
520 g de polpa de tomate
4 paus de canela
8 cravos-da-índia
4 cardamomos
½ colher de chá de sal
2 e ½ colheres de óleo
2 colheres de gengibre fatiado com casca
2 folhas de louro rasgadas ao meio
1 ponta de anis-estrelado
2 paus de canela
1 couve-flor pequena
4 cenouras picadas grossas
½ xícara de água
2 colheres de sopa de curry
1 colher de chá de tempero baiano
2 colheres de sal
1 xícara de coentro picado
1 xícara de cebolinha picada

Modo de Fazer

Na véspera, deixe o grão-de-bico de molho. Escorra e cozinhe até ficar macio e reserve.

Para o molho: no liquidificador bata o tomate, a cebola, o alho e a água até ficar homogêneo.

Numa panela, aqueça o azeite, em fogo alto, e junte a mistura de tomate. Acrescente a polpa de tomate, a canela, o cravo e o cardamomo e salgue. Mexa, tampe e espere ferver. Diminua o fogo e deixe cozinhar por 2 horas ou até ficar consistente.

Numa panela de pedra sabão, aqueça o óleo em fogo alto e refogue o anis, o gegibre, o louro, a canela e o cravo. Junte a couve-flor e a cenoura, acrescente a água e espere ferver. Acrescente o curry, o tempero baiano e o sal, tampe. Deixe ferver um pouco, acrescente o grão-de-bico e o molho de tomate reservados. Diminua o fogo, deixe a panela semitampada e cozinhe por mais 15 minutos. Polvilhe com o coentro e a cebolinha. Mexa, acerte o sal e sirva.

MOUSSE DE CARANGUEJO COM PEPINOS

250 g de carne de caranguejos
1 colher de sopa de suco de limão
¼ de colher de chá de casca de limão ralado
4 colheres de sopa de caldo de peixe
15 g de gelatina branca em pó
375 g de queijo cremoso
1 colher de sopa de sherry seco
sal
pimenta-do-reino
2 claras de ovo
1 pepino
1 colher de sopa de endro picado
1 colher de sopa de vinagre de vinho branco
1 colher de chá de mostarda dijon
2 colheres de sopa de óleo de semente de uva
Para guarnecer:
Ramos de endro e ovas vermelhas de lumpo (ou outro peixe)

Modo de Fazer

Em uma tigela, amasse com um garfo a carne do caranguejo com suco de limão e casca de limão ralada. Coloque o caldo de peixe em uma tigela pequena dentro de uma panela com água bem quente (banho-maria). Despeje a gelatina e deixe até dissolver. Coloque o caranguejo, a gelatina dissolvida, o queijo cremoso, o sherry e a pimenta-do-reino em um processador até ficar uma massa lisa. Teste o sabor e adicione sal se necessário. Coloque em uma tigela. Bata as claras em neve e acrescente a mistura de caranguejo.

Despeje a mistura em uma forma úmida com capacidade para 900 ml. Deixe a mousse gelar por cerca de quatro horas.

Com um cortado de legumes faça frestas ao longo de um pepino. Depois, corte-os em rodelas fininhas em uma tigela pequena, misture o endro, vinagre, mostarda, óleo, sal e pimenta, até ficar uniforme.

Vire a mousse em uma travessa, arrume as fatias de pepino ao redor. Despeje o molho sobre o pepino e decore com endro e ovas de peixe.

Sirva como entrada ou refeição leve.

VONGOLES NO VINHO BRANCO E CALDO DE MISSÔ

1 quilo de vongoles com casca lavados e escorridos
2 colheres de manteiga
1 dente de alho picado
2 alhos-porós (só a parte branca) cortados em rodelas
folhas de louro levemente amassadas
1 xícara de vinho branco seco
3 xícaras de hondashi (caldo de peixe)
2 colheres de sopa de missô (pasta de soja)
½ xícara de cebolinha cortada
½ colher de pimenta-do-reino branca em grão amassada
casca ralada de 1 limão

Modo de Fazer

Doure o alho-poró na manteiga em fogo baixo mexendo, até que fiquem macios. Junte o vinho e o louro e ferva um pouco. Acrescente o caldo de peixe, os vongoles e ferva em fogo baixo por dez minutos, ou até as conchas se abrirem (as que não abrirem devem ser descartadas). Junte o missô e apague o fogo. Sirva em tigelas individuais fundas salpicadas com uma mistura de cebolinha, casca de limão e pimenta.

FRANGO COM PIMENTA VERDE

4 filés de frango
1 colher de sopa de azeite
2 colheres de vinho branco
2 colheres de pimenta branca em conserva
½ xícara de caldo de galinha
suco de 1 limão
sal a gosto
folhas de espinafre fresco

Modo de Fazer

Em uma frigideira antiaderente, grelhe os filés de frango e reserve. Numa vasilha coloque o azeite, o limão, o vinagre, a pimenta verde, o caldo de galinha e o sal. Amasse um pouco as pimentas para que desprendam o sabor. Aqueça o molho sem deixar ferver e regue os filés com o molho. Deixe marinar por uns dez minutos e sirva com as folhas de espinafre.

FRITADA DE OVOS, COGUMELOS E MOLHO DE LEGUMES

300 g de cogumelos frescos, lavados, secos e cortados em tiras finas
1 colher de sopa de óleo
1 colher de sopa manteiga
cebolinha verde picada
2 colheres de tomilho picado
vinho branco a gosto
4 ovos batidos
sal e pimenta a gosto

Para o molho:

1 colher de óleo
1 colher de manteiga
1 cenoura média
1 alho-poró médio picado
1 talo de salsão picado
1 xícara de berinjela picada
2 folhas de louro picadas

Modo de Fazer

Numa frigideira antiaderente aqueça o óleo, a manteiga e coloque o tomilho, a cebolinha, os cagumelos. Junte o vinho e deixe cozinhar por cerca de dez minutos. Quando o vinho tiver evaporado, junte os ovos batidos, o sal, a pimenta-do-reino. Quando um lado estiver dourado, com a ajuda de um prato vire a fritada e vá escorregando o outro lado para a frigideira novamente, para dourar o outro lado.

Para o molho, cozinhe todos os ingredientes por 15 minutos, acrescentando um pouco de água quente se necessário.

TORTINHAS DE FRAMBOESAS OU AMORAS

Massa:
3 ovos
¾ de xícara de açúcar
1 pitada de sal
2 xícaras de farinha de trigo
½ xícara de manteiga

Para o recheio:
½ xícara de açúcar
½ xícara de farinha de trigo
¼ de xícara de manteiga
400 g de framboesa

Modo de Fazer

Separe as claras das gemas, prepare a massa batendo bem as gemas, o açúcar, o sal até ficar bem fofo. Junte a farinha de trigo e misture com uma colher de pau. Amasse com a ponta dos dedos até obter consitência de farofa. Acrescente a manteiga e misture bem. Deixe descansar por uma hora na geladeira. Para o recheio, coloque as claras reservadas em uma tigela refratária e leve ao banho-maria. Bata, acrescentando o açúcar aos poucos até obter picos firmes. Retire do fogo, acrescente a farinha, a manteiga derretida e misture delicadamente.

Abra a massa com a ajuda de um rolo de macarrão e forre o fundo e os lados de forminhas de empada. Despeje o recheio na massa e enfeite com as framboesas (elas irão afundar). Leve ao fogo baixo (150°C pré-aquecido, por 45 minutos. Desenforme depois que estiverem frias.

CALDEIRADA DE MEXILHÕES

2 quilos de mexilhões
2 cebolas
1 copinho de azeite
60 g de margarina
1 copinho de vinho da Madeira
1 raminho de salsa picada
piri-piri a gosto
sumo de 1 limão
3 tomates
sal
malaguetinha o quanto baste

Modo de Fazer

Limpe os mexilhões esfregando-os com uma escova.

Num tacho com azeite e margarina, refogue as cebolas descascadas e cortadas em rodelas, a salsa, os tomates lavados e cortados em pedaços, o vinho da Madeira e o piri-piri.

Quando tudo estiver bem refogado, junte os mexilhões e, quando estes abrirem, retire-lhes a concha vazia e regue-os com o sumo do limão.

Coloque-os numa travessa juntamente com o seu molho e sirva.

FIGOS DO AMOR

8 figos
8 colheres (sopa) de cream cheese
1 ramo de salsa
1 colher (café) de colorau
1 colher (chá) de gergelim
1 ramo de hortelã
sal a gosto

Modo de Fazer

Corte os figos ao meio e, com o auxílio de uma colher, retire a polpa e reserve a casca.

Coloque em uma tigela a polpa dos figos, o cream cheese e tempere com sal, salsa picada e colorau. Envolva bem o preparado anterior e recheie as metades de figo.

Polvilhe com o gergelim e disponha-os num prato. Decore com a hortelã e sirva frio.

Dica: Sirva os figos sobre torradas de centeio.

MOQUECA DE OSTRAS E CAMARÃO FRESCOS

18 ostras
200 g de camarões frescos descascados
1 galho de coentro (5 ou 6 ramos)
1 cebola graúda
2 tomates maduros médios
1 pitada de sal
2 a 4 limões
5 gotas de molho de pimenta malagueta
3 xícaras (de café) de azeite-de-dendê
3 xícaras (de café) de água
1 xícara (de café) de azeite de oliva

Modo de Fazer

Deixar os camarões e as ostras com seu licor embebidos ao sumo de limões. Esmagar o coentro, a cebola, os tomates, sal, pimenta malagueta e água, mexer bem e levar ao fogo forte em panela de barro, ou esmaltada, refogando bem por uns 20 minutos. Juntar na panela o azeite-de-dendê, os camarões e as ostras, mas sem o caldo. Quinze a 20 minutos depois, juntar o caldo de limão (só ao fim para não amargar), mexer delicadamente, retirar do fogo e servir na própria panela, tinindo e chiando.

OSTRAS AO CHAMPANHE

24 ostras
1 colher (sopa) de manteiga
1colher (sopa) de cebolinha picada em pedaços pequenos
sal
pimenta-do-reino a gosto
meia xícara de champanhe (120 ml)
½ colher (sopa) de hortelã fresca picada
1 colher (sopa) de estragão seco picado
2 ramos de salsa para decorar

Modo de Fazer

Abra as ostras e retire a carne. Reserve as conchas. Em uma panela, coloque a manteiga, a cebolinha, o sal, a pimenta, o champanhe, a hortelã, as ostras e, por último, o estragão. Cozinhe por cinco minutos e recoloque nas cascas. Enfeite com salsa.

PÊSSEGO SENSUAL

1 lata de pêssegos em calda
2 latas de creme de leite
1 lata de leite condensado
2 gelatinas de pêssego
2 claras em neve
2 colheres (sopa) de açúcar

Modo de Fazer

Desmanche as gelatinas conforme o indicado na embalagem. Adicione o pêssego picado com a calda, o leite condensado e uma lata de creme de leite. Misture bem e despeje em uma forma refratária. Bata as claras em neve com o açúcar e o creme de leite. Despeje sobre a mistura de pêssego e leve para gelar.

Dica: esta mesma receita também pode ser feita trocando o pêssego por figos, o que a fará tão afrodisíaca quanto esta.

SOPA DE MARISCOS

1 quilo de ameijoas
2 dentes de alhos
coentro
1 ml de azeite
sal a gosto
pimenta preta a gosto
pão de milho

Modo de Fazer

Lave os mariscos e leve-os ao fogo com o azeite, os temperos e um pouco de água.

Depois de os mariscos se abrirem, derrame o caldo e os mariscos com casca sobre o pão de milho.

Sirva imediatamente.

PASTA DE CEBOLA

3 cebolas de tamanho médio
4 colheres de sopa de azeite
2 colheres de sopa de manteiga
1 colher de sopa de vinagre
½ colher de sopa de pimenta-do-reino

Modo de Fazer

Corte a cebola em rodelas bem finas.

Aqueça o azeite e a manteiga numa panela, adicione a cebola e a pimenta grossamente ralada. Deixe cozinhar lentamente em fogo brando por 45 minutos, mexendo ocasionalmente. Adicione o vinagre e deixe em fogo brando por mais uns 5-10 minutos.

Deixe a pasta esfriar durante a noite no freezer.

A pasta pode ser servida como condimento.

CAMARÕES CARNAIS

750 g de camarões frescos descascados
2 folhas de louro
3 dentes de alho picado
½ copo de azeite
pimenta preta a gosto
¾ de copo de vinagre de vinho
1 colher de (sopa) de especiarias a gosto
1 colher de (café) de sal

Modo de Fazer

Ferver todos os ingredientes, menos os camarões, durante aproximadamente dois minutos.

Juntar os camarões e deixar cozinhar durante três minutos.

Tirar os camarões em seguida com uma escumadeira para que fiquem frios e não muito passados.

Pôr os camarões e o molho em frascos quentes previamente esterilizados, levar à geladeira durante 48 horas.

Servir frio.

PEIXE DO MARIDO

400 g de filé de pescada
1 colher (sopa) de margarina
2 colheres (sopa) de alcaparras
sal
gengibre em pó a gosto

Modo de Fazer

Tempere os filés de pescada com o sal e o gengibre em pó. Coloque-os em um refratário untado com a margarina. Leve ao micro-ondas por quatro minutos. Retire o peixe do forno com cuidado. Misture as alcaparras no líquido que se formou. Coloque novamente sobre o peixe e volte ao micro-ondas por um minuto.

CRAB CAKES (8 pessoas)

½ quilo de carne de siri/caranguejo
2 colheres de azeite de oliva
2 colheres de pimenta vermelha (picada)
2 colheres de pimenta amarela (picada)
1 colher de jalapeño picado
2 colheres de alho picado
3 a 6 colheres de maionese
¼ de xícara de salsa+coentro
2 colheres de farinha de rosca
1 colher de estragão fresco
sal marinho
pimenta branca.
1 colher de manteiga

Modo de Fazer:

1. Limpe completamente a carne para remover TODAS as impurezas, mantendo os pedaços grandes intactos. 2. Na frigideira em fogo alto, aqueça uma colher do azeite e salteie: pimentões + jalapeño + alho, por um minuto: 3. Numa tigela grande misture a carne, três colheres de maionese, salsa+coentro, farinha de rosca e a mistura que foi salteada. 4. Ajuste sal, pimenta e adicione o estragão. 5. Misture bem e, se estiver muito seca, ajunte mais maionese. 6. Cubra e refrigere por 20 minutos. 7. Com a mistura, forme oito bolas de tamanho igual e achate-as para formar discos grossos. 8. Empane-as com farinha de rosca temperada. 9. Na frigideira, aqueça o restante do azeite até quase fumegando. 10. Ponha nela quatro dos cakes, abaixando o fogo. 11. Quando estiverem dourados de ambos os lados, elevar o fogo, colocar os outros quatro e abaixar até conseguir o mesmo efeito.

Se preferir mais bem passado: 12. Leve ao forno quente para terminar cozimento por cinco a seis minutos.

Servido sobre salada de radichio com maionese de mostarda. Regar com limão.

ERVAS E CHÁS

Para um bom funcionamento do Sistema Reprodutor

Romã

Para infecções vaginais por fungos (corrimentos, coceiras)

Coloque duas colheres de casca picadas do caule e do fruto em meio litro de água em fervura. Deixe ferver por cinco minutos e coe. Adicione uma colher de sobremesa de bicarbonato de sódio. Misture bem e faça uma higiene íntima com uma ducha vaginal de duas a três vezes por semana.

Umbaúba

Para lavagens vaginais

Coloque três colheres de sopa de folhas picadas em meio litro de água em fervura. Deixe ferver por dez minutos, coe, espere amornar e faça banhos de assento uma vez ao dia.

Alfazema

Para corrimento vaginal

Coloque duas colheres de sopa de sumidades floridas em uma xícara de vinagre branco. Deixe em maceração por três dias e coe. No caso de corrimento vaginal, adicione duas colheres de sopa desse preparado à água do banho de assento.

Guacatonga

Para herpes vaginal

Coloque duas colheres de sopa de folhas picadas em um copo de água em fervura. Desligue o fogo, espere esfriar, coe e faça banhos de assento.

Arruda

Para mestruação escassa

Coloque uma colher de sobremesa das folhas e flores em um pilão, amasse bem e adicione uma xícara de água. Deixe em maceração por uma noite e no dia seguinte de manhã, em jejum, e tome nos dez dias antes do início da menstruação.

Camomila

Para menstruação excessiva

Coloque quatro colheres de sopa de flores em meio litro de vinho branco. Deixe em repouso por cinco dias agitando as vezes. Tome um cálice três vezes ao dia, uma semana antes da menstruação.

Abóbora

Para prostatites (inflamação da próstata)

Em um pilão, coloque 30 sementes de abóbora e adicione uma colher de sopa de açúcar. Amasse bem, até adquirir a consistência de pasta. Coma à vontade.

Chápeu de couro

Para inflamação da próstata

Coloque três colheres de sopa de folha picada em um litro de água em fervura. Deixe ferver por cinco minutos, desligue o fogo, coe e deixe amornar.

Coloque em uma bacia e faça banho de assento por 20 minutos diariamente.

7. Sistema Excretor

MORANGOS

Maduros, regados a um bom vinagre balsâmico, são uma entrada deliciosa.

ESTROGONOFE DE MORANGOS

2 xícaras de açúcar
250 g de morangos
1 cálice de licor de morangos (opcional)
1 xícara de água
1 pacote de gelatina sabor morango
1 colher de fermento em pó
1 lata de creme de leite com soro

Modo de Fazer

Deixe os morangos descansarem em meia xícara de açúcar e o licor.

Faça uma calda em ponto de fio médio com o restante do açúcar e da água, acrescente a gelatina e o fermento. Espere dissolver, mexendo para que tudo fique bem misturado. Junte o creme de leite e cozinhe sem deixar levantar fervura, para o creme de leite não talhar. Deligue o fogo. Ferva os morangos com o caldo que se formou em fogo baixo até amolecerem um pouco (cinco minutos).

Junte os morangos ao creme já pronto e sirva quente com sorvete de creme.

FLAN DE MAMÃO

3 xícaras de chá de mamão maduro
1 lata de leite condensado
½ xícara de chá de vermute branco doce

Modo de Fazer

Coloque no liquidificador por três minutos, despeje em uma forma para pudim e sirva depois de meia hora sem levar à geladeira.

MOUSSE DE MANGA

1 lata de leite condensado
1 lata de creme de leite
2 latas (medida) de suco de manga
1 pacote de gelatina sem sabor dissolvida em meia xícara de água quente.

Modo de Fazer

Bata todos os ingredientes no liquidificador e coloque numa forma umedecida na geladeira por uma hora. Sirva com calda de manga feita em ponto de fio e uma colher de suco de limão.

SUCO DE LIMA-DA-PÉRSIA

É essencial para manter o sistema que engloba rins e bexiga em perfeito funcionamento.

PASTEL DE AMEIXAS

1 copo americano de água morna
1 colher de sopa de fermento biológico fresco
1 colher de sopa de óleo de milho
1 colher de chá de sal marinho
1 colher de sopa de açúcar mascavo
farinha de trigo integral

Modo de Fazer

Coloque num recipiente meio copo de água morna, o fermento e o açúcar mascavo. Deixe fermentar por 30 minutos. Após a fermentação, acrescente mais meio copo de água morna, o sal, o óleo, a farinha, o suficiente para obter uma massa homogênea e que não grude nas mãos. Deixe essa massa descansar em um local abafado por mais uma hora. Após esse tempo, abra a massa com o auxílio de um rolo sobre uma superfície plana e polvilhada com farinha de trigo integral. Corte a massa em círculos.

Recheie o pastel com a pasta de ameixas.

MOLHO DE AMEIXAS PRETAS

Deixe de molho 250 gramas de ameixas pretas sem caroço.

Coloque numa panela uma xícara de açúcar, uma xícara de água e as ameixas.

Deixe cozinhando por 30 minutos até que as ameixas amoleçam.

Use esse molho para acompanhar iogurtes, pudins, tortas e mousses. Excelente para fazer o intestino preguiçoso funcionar.

TORTA DE ABACAXI

150 g de manteiga gelada
2 xícaras de farinha de trigo
2 xícaras de açúcar
3 ovos
8 fatias de abacaxi em calda ou natural
1 xícara de passas embebidas ao rum

Modo de Fazer

Pique a manteiga gelada em pedaços pequenos. Peneire a farinha de trigo junto com o açúcar. Bata as claras em neve e junte as gemas uma a uma.

Unte fartamente uma forma refratária redonda de cerca de 30 centímetros de diâmetro. Forre o fundo com as fatias de abacaxi fresco, cubra com o açúcar peneirado, espalhe as passas embebidas no rum.

Cubra tudo com a farinha e açúcar e despeje sobre as camadas os ovos batidos. Espalhe mais uma porção de manteiga gelada e leve ao fogo médio por 20 minutos. Deixe esfriar e sirva.

ASPARGOS AO FORNO

300 g de aspargos
algumas colheres de leite
1 ovo
1 colher de sopa de farinha de trigo
1 colher de sopa de óleo
umas gotas de suco de limão
sal
1 dente de alho
umas azeitonas picadas

Modo de Fazer:

Descascar bem os aspargos, cortar em pedacinhos e cozinhar em pouca água até amolecer. Fazer uma massa bem batida de leite, ovo, farinha, óleo e juntar o alho esmagado, as azeitona picadas e o sal. Colocar o aspargo em pirex untado e juntar a massa, salpicando com salsa ou queijo ralado e levar ao forno, deixando dourar.

SOPA-CREME DE ASPARGO

1 lata de aspargos
2 colheres de sopa de amido de milho
1 xícara de leite
1 litro de caldo de carne ou legumes
sal
1 gema

Modo de Fazer

Dissolva o amido de milho no leite.

Junte a água dos aspargos ao caldo, leve ao fogo, junte o amido de milho no leite, sal e a gema batida. Deixe ferver e retire. Sirva com queijo parmesão ralado ou pedacinhos de pão torrado.

BOLINHOS DE CENOURA E CEBOLA

Cozinhe a cenoura bem picadinha e refogue com bastante cebola. Amasse tudo com um garfo e junte sal e farinha de trigo para dar liga. Amasse bem e frite em óleo de girassol bem quente.

ASSADO DE ERVILHAS E PALMITO

1 xícara de soja
1 lata de ervilhas
1 lata de palmitos
1 e ½ xícara de azeitonas picadas
2 xícaras de corn flakes ou farinha de milho
sal
temperos a gosto

Modo de Fazer

Colocar a soja de molho durante a noite, por 12 horas. Pela manhã, bater no liquidificador e ferver, observando que, para cada xícara de soja acrescenta-se dois terços de xícara de água. Tirar do fogo, acrescentar os demais ingredientes e levar ao forno quente em um pirex.

SUFLÊ DE VAGEM

1 quilo de vagem
3 colheres de sopa de salsa picada
1 dente de alho socado
4 colheres de farinha de rosca (pão preto torrado)
3 ovos
4 colheres de sopa de queijo minas ralado
1 cebola grande picadinha
2 cenouras picadas
1 colher de sopa de óleo

Modo de Fazer

Cozinhar as vagens e as cenouras picadas, refogar a cebola e o alho na frigideira T-fal. Tirar do fogo e juntar a salsa, a vagem, as cenouras, o queijo ralado e a farinha de rosca. Juntar os ovos batidos separadamente. Misturar e despejar em pirex untado e polvilhado de farinha de rosca. Levar ao forno por 20 minutos.

ALMÔNDEGAS DE ARROZ INTEGRAL

½ xícara de arroz integral cozido
1 colher de sopa cheia de farinha de trigo integral
1 colher de sobremesa de óleo de girassol
1 dente de alho amassado
1 colher de café de missô
1 colher de sopa de shoyu
1 colher de sopa de cheiro-verde picado
1 copo de água

Modo de Fazer

Amasse o arroz cozido com um garfo, junte a farinha de trigo e faça uma massa bem liguenta. Enrole as almôndegas em tamanhos pequenos e passe na farinha de trigo integral bem fina.

Separadamente em uma panela, ponha o óleo de girassol e refogue o alho até dourar. Junte o missô, o molho de soja e depois a água.

Coloque as almondegas nesse molho e deixa-as cozinhando em fogo baixo até o molho quase desaparecer, tomando o cuidado de virá-las de vez em quando.

POLENTA DE MILHO

1 xícara de fubá
½ litro de água
½ litro de leite
sal marinho

Modo de Fazer

Em uma panela, misture o leite com a água e o sal marinho. Jogue o fubá em chuva, misture bem e vá mexendo até que esteja cozido e a polenta se desprenda do fundo da panela. Retire, coloque ainda quente em uma travessa, deixe esfriar, corte e sirva.

SOPA DE AVEIA

½ xícara de aveia integral
1 litro de água
1 colher de sopa rasa de missô
1 colher de óleo de girassol
1 dente de alho picado

Modo de Fazer

Faça um refogado de óleo e alho. Coloque o missô dissolvido em um pouco de água. Deixe ferver um pouco, acrescente o restante da água e logo em seguida dissolva a aveia em um pouco de água fria e junte ao caldo quente, deixando cozinhar por 20 minutos. Rasgue algumas folhas de couve, taioba, chicória, ou a verdura que preferir. Jogue no caldo quente e sirva a seguir.

ENCHOVA GRELHADA

1 enchova limpa e aberta em dois filés

Marinada:

¼ de xícara de shoyu
¼ de xícara de saquê
1 colher de sopa de açúcar
1 colher de sopa de gengibre ralado
sal a gosto

Modo de Fazer

Lave e seque os filés; prepare a marinada deixando os filés mergulhados no molho por 30 minutos.

Aqueça uma frigideira seca e coloque os filés sobre ela cuidadosamente, virando-os uma ou duas vezes e regando com a marinada até que fique pronto.

MOLHO DE IOGURTE E ESPECIARIAS

1 copo de iogurte
salsinha picada
2 colheres de sopa de gergelim torrado
½ colher de chá de gengibre em pó

Modo de Fazer

Misture todos os ingredientes, colocando sal a gosto. Deixe na geladeira antes de servir. Sirva com acompanhamento para saladas.

SOPA DE CEBOLAS

2 colheres de sopa de óleo
2 cebolas grandes
1 colher de sopa de farinha de trigo
¼ de litro de água ou caldo de verduras
sal
pão torrado
queijo ralado
1 dente de alho

Modo de Fazer

Dourar as cebolas cortadas em rodelas e o alho, acrescentando então a farinha e o óleo. A seguir o caldo de verduras ou água, deixando ferver até que as cebolas estejam cozidas e a sopa fique cremosa. Juntar o pão e o queijo ralado.

PUDIM DE TAPIOCA

1 litro de leite
3 xícaras de chá de tapioca
4 ovos
1 lata de leite condensado
10 gotas de baunilha
1 xícara de açúcar
½ xícara de água

Modo de Fazer

Ferver o leite, despejar sobre a tapioca e deixar esfriar. Misturar então os demais ingredientes, assar em banho-maria, em forma caramelada, em forno quente, por cerca de uma hora. Para caramelizar a forma, levar ao forno em uma panela o açúcar e a canela, e cozinhar até a calda formada ficar dourada. Passar para a forma e espalhar com uma colher. Desenformar apenas depois de esfriar.

BOLO DE MACAXEIRA (MANDIOCA)

3 raízes de mandioca
leite de 1 coco
50 g de manteiga
sal

Modo de Fazer

Descascar e ralar as mandiocas. Espremer num pano e passar por uma peneira de arame. Juntar a seguir o leite de coco, uma pitada de sal e a manteiga. Misturar bem e levar ao forno quente numa assadeira untada com manteiga.

SOPA DE QUEIJO

60 g de queijo holandês ou prato
60 g de queijo mozzarela
25 g de queijo parmesão
1 colher de sopa de manteiga
2 tabletes de caldo de carne ou de galinha
1 talo de salsão
2 colheres de sopa de farinha de trigo
1 litro de água fervente
pimenta-do-reino
sal a gosto

Modo de Fazer

Derreter a manteiga, juntar a farinha de trigo e mexer bem. Acrescentar os tabletes de caldo dissolvidos na água fervente, mexendo até obter um creme de consistência mais líquida. Deixar ferver, mexendo sempre para não empelotar. Cortar a mozzarela em quadradinhos e ralar o queijo tipo holandês ou prato e também o parmesão. Picar bem o salsão. Na hora de servir, colocar no caldo o salsão, os queijos e a pimenta-do-reino, corrigindo o sal se for necessário. Essa sopa deve ser servida acompanhada de torradas fritas na manteiga.

BOLINHOS DE FIBRAS COM LEGUMES

200 g de aveia
100 g de farelo de trigo
50 g de gérmen de trigo
legumes (cenoura, abobrinha, etc.)
2 dentes de alho socado
2 colheres (sopa) de farinha de trigo
água para dar liga
sal
tempero a gosto

Modo de Fazer

Misture tudo e frite às colheradas.

TOFU FRITO

Frite as fatias de tofu na grelha ou na frigideira antiaderente até dourar.

Regue com uma mistura de shoyu, gergelim, salsinha e cebolinha picados.

CHÁS DE ERVAS

Para melhorar o Sistema Excretor

Urinário

Alfazema – cistite

Coloque uma colher de sobremesa das flores em uma xícara de água fervente. Abafe por dez minutos, coe e tome três vezes ao dia.

Milho – elimina o ácido úrico e reduz a dor ao urinar

Coloque duas colheres de sopa de cabelo de milho em uma xícara de chá de álcool de cereais a 65% e deixe macerar por cinco dias e coe. Tome uma colher de café, diluída em um pouco de água três vezes ao dia.

Chapéu-de-couro – diurético e inflamação da bexiga e cálculos renais

1 xícara – coloque uma colher de sobremesa de folhas secas picadas e adicione água fervente. Abafe por cinco minutos e tome duas vezes ao dia.

Serralha – cistite e infecções urinárias

Coloque duas colheres de sopa da planta picada em meio litro de água em fervura, deixe ferver por cinco minutos e coe. Tome à vontade durante o dia.

Intestinal

Camomila – elimina gases e dores estomacais

Em uma xícara de chá de água, coloque uma colher de sobremesa das flores, abafe e tome antes das refeições.

Hepáticas

Abacateiro – afecções hepáticas, insuficiência de secreção biliar.

Posfácio

Nestes dois anos em que estive às voltas com este livro, muitas coisas aconteceram em minha vida.

Algumas muito importantes, outras nem tanto, mas sei com certeza que andei vivendo por aí. Dei aulas, ministrei palestras e cursos, viajei, fiquei em casa, escrevi e reescrevi muitas coisas. Muitas outras ficaram para ser ditas em algum outro momento; mas como no caminho deste livro outros temas se apresentaram e já estão tanto no computador, quanto na cabeça, sei que não vou parar por aqui.

Agora, que termino este pequeno manual, sinto que o que mais aprendi neste tempo todo é que é preciso viver com moderação, sem ser radical em nada e por nada. É preciso viver um dia de cada vez, uma emoção de cada vez, um amor de cada vez, mas sem estar fechada para outros dias, outras emoções e outros amores.

Espero ter ajudado a pelo menos uma pessoa com este manual da sobrevivência alimentar, senão pelas receitas, pelo menos com o cuidado diário que todos temos de ter com nosso mais importante trunfo, nós mesmos.

Bom apetite e até uma próxima.

Este livro foi composto em Minion Pro, corpo 11,5/13.
Papel Offset 75g
Impressão e Acabamento
Orgráfic Gráfica e Editora — Rua Freguesia de Poiares, 133 —
Vila Carmozina — São Paulo/SP
CEP 08290-440 — Tel.: (011) 6522-6368 — comercial@terra.com.br